T
S
C
E

anticristo

o

O anticristo

Friedrich
Nietzsche

tradução
David Jardim Júnior

introdução
Geir Campos

EDITORA
NOVA
FRONTEIRA

Editora Nova Fronteira Participações S.A.
Rua Candelária, 60 — 7º andar — 20091-020
Rio de Janeiro — RJ — Brasil
Tel.: (21) 3882-8200 – Fax: (21)3882-8212/8313

CIP-Brasil. Catalogação na publicação
Sindicato Nacional dos Editores de Livros, RJ

N581a Nietzsche, Friedrich, 1844-1900
O anticristo / Friedrich Nietzsche; tradução David Jardim Júnior; introdução Geir Campos. – [Ed. especial.] – Rio de Janeiro: Nova Fronteira, 2016.
112 p. (Boxe grandes obras de Nietzsche)

Tradução de: Der antichrist
ISBN 9788520929742

1. Cristianismo – Literatura polêmica. I. Jardim Júnior, David. II. Título. III. Série.

CDD: 236
CDU: 27-175

Sumário

Introdução

Diz Mencken, tradutor deste livro para o inglês, que foi este o último escrito de Nietzsche; Christophe Baroni, autor de um volume sobre "o que Nietzsche realmente disse" (*Ce que Nietzsche a vraiment dit*), diz que, depois deste, o poderoso pensador alemão publicou ainda *Ecce homo* e, postumamente, *A vontade de poder* (fragmentos).

"Este livro pertence ao mais raro dos homens", escreve o autor em seu prefácio; e esse leitor especial há de estar habituado à vida no alto das montanhas — tal e qual o seu *Zaratustra*, que, "aos trinta anos, deixou sua terra e o lago de sua terra e foi para a montanha".

O católico francês Daniel Halévy escreve, numa biografia que publicou do filósofo, que, para Nietzsche, o anticristo seria o deus grego Dionisos, divindade emocional, que se costuma opor à divindade racional de Apolo: a eterna faina entre dionisíacos e apolíneos.

Mas, em verdade, se de fato faz a defesa dos instintos e dos prazeres naturais, o que Nietzsche ataca neste livro é o Cristianismo, ou a Cristandade (*Christianity* na versão inglesa de Mencken).

E o ataque de Nietzsche há de ter mais de uma vez passado pela cabeça de todos os leitores: há um capítulo em que ele cita trechos dos Evangelhos para submetê-los à prova da razão. Mas Nietzsche não afirma que fossem palavras ditas pelo Cristo, e sim palavras "postas por eles na boca do Mestre". "Eles" são com certeza os padres e pastores de todos os tempos, de todos os lugares, tanto da Igreja católica quanto do Protestantismo, luterano ou calvinista, em qualquer de suas seitas.

Os cristãos modernos costumam dizer que o Cristianismo veio dar nova face, mais suave, ao Deus vingativo dos judeus, que mandava cobrar "olho por olho, dente por dente". E Nietzsche transcreve, de um versículo do evangelista Mateus (7,1-2): "Não julgueis, para não serdes julgados. Com a mesma medida com que avaliardes, sereis também vós avaliados." Ora, se não é esta a mesma "lei de Talião"... E Nietzsche reclama: "Que noção de justiça, de um juiz justo!"

Tais incongruências levaram o menino Friedrich Wilhelm, neto e filho de pastores luteranos, a questionar a verdade e a pureza dos ideais cristãos. Ao próprio Lutero ele interpela, alegando que para Lutero a "fé" não passaria de uma capa, uma "cortina" para a "dominação" dos instintos... E no fim de contas aí estaria, como em tudo, o que para Nietzsche correspondia a mera *Vontade de Poder*, título de um livro que ele deixou inacabado.

Referindo-se a outros pensadores alemães célebres — Schopenhauer, Kant, Leibniz — ele os renega a todos: "Esses alemães são inimigos meus, todos eles." E, atacando os teóricos das seitas religiosas, Nietzsche não chega propriamente a atacar o Cristo, que, na opinião dele, só poderia mesmo ser condenado à morte na cruz — a mais infamante das condenações — por ter-se tornado um inimigo público e do Estado, alguém que se colocava publicamente "contra a ordem estabelecida".

É claro, escreve o mesmo Nietzsche, que a estreita comunidade em que Ele vivia não poderia compreender o alcance da verdadeira mensagem do Cristo, que foi a sua própria vida em oposição ao judaísmo dominante. E até mesmo em sua morte o Nazareno conservou, até o final, o seu protesto contra o "sistema" em vigor: a lei de Roma executada pelos judeus.

Neste livro, o pensamento de Nietzsche é trazido em sua inteireza; e os grandes temas da sua preocupação filosófica, neste como nos demais livros, são os de sempre: a vontade de poder, a reavaliação de todos os valores, o homem superior (não confundir com o Super-Homem, nazista ou não), o eterno retorno...

Talvez o ponto mais estranhável deste livro seja aquele onde o autor se põe contra o próprio Lutero, tendo-se em conta que ele mesmo foi durante muitos anos preparado para ser mais um pastor luterano, e já em rapazola tinha o apelido de "Pastorzinho".

Quanto ao Cristianismo em si, para Nietzsche os Evangelhos morreram na cruz do Calvário, e dali por diante o que passou a existir foi o que se poderia denominar "más novas": não o *Evangelium* e sim o *Dysangelium*, aproveitando a grafia alemã. E, a partir daí, não fica difícil dizer que "em verdade, não existem cristãos", que "o cristão, aquele que por dois mil anos se teve como cristão, é apenas uma ilusão psicológica"; examinado de perto, o que se vê é que, *a despeito* de toda a sua "fé", ele tem sido governado mesmo pelos seus instintos — e *que instintos*!

Numa comparação com o Budismo ("a única religião *positiva* encontrada na história da humanidade"), a opinião de Nietzsche favorece os orientais, em detrimento dos cristãos; ele situa o Budismo "além do Bem e do Mal", em suas próprias palavras. E justifica: "o Budismo não fala de luta contra o pecado, mas contra o sofrimento", e completa adiante: "o Cristianismo promete tudo e não realiza nada, o Budismo não promete nada e acaba realizando."

Este, como todos os livros de Nietzsche, será de uma leitura estimulante, para dizer o menos, e certamente cobrará do leitor uma disposição de questionar também uma porção de preconceitos e dogmas que de certo modo gradeiam o pensamento num mundo como o nosso, atravancado de mensagens audiovisuais que nos tentam envolver a toda hora e por todos os meios, todas com o velado propósito de "fazer a nossa cabeça", levando-nos a pensar como pensam e gostar do que gostam as fontes de tais e tão variadas comunicações.

Por tudo isso, a leitura deste livro de Nietzsche torna-se recomendável — quando menos para que qualquer outra leitura se torne "limpa", como ele diz que limpas tornam-se para ele todas as leituras depois que ele fecha os Evangelhos...

Geir Campos[1]

[1] Geir Campos foi poeta, dramaturgo, tradutor, editor, jornalista, ensaísta e contista. Nascido em 1924, na cidade capixaba de São José do Calçado, publicou seus primeiros trabalhos já na década de 1940. Faleceu no ano de 1999, em Niterói, Rio de Janeiro.

Prefácio

Este livro pertence aos mais raros dos homens. Talvez nenhum deles tenha ainda nascido. É possível que estejam entre aqueles que compreenderam o meu *Zaratustra*: como poderia confundir-me com aqueles que agora começam a ter ouvidos? Primeiro terá de vir a mim o dia depois de amanhã. Alguns homens nascem postumamente.

As condições de acordo com as quais alguém me compreende, *e necessariamente* me compreende — eu as conheço muito bem. Mesmo para suportar a minha seriedade, a minha paixão, ele terá que levar a integridade intelectual às raias da firmeza. Deve estar acostumado a viver no cume das montanhas — e contemplar a algaravia da política e do nacionalismo *abaixo* dele. Deve tornar-se indiferente; jamais deve indagar da verdade se lhe traz o lucro ou a desgraça... Deve ter uma inclinação, fruto da coragem, para questões que ninguém ousa encarar; coragem para o proibido; predestinação para o labirinto. A experiência de sete solidões. Ouvidos novos para a música. Uma nova consciência para verdades que até então jamais foram ouvidas. E a vontade de economizar grandiosamente — conservar juntos sua força, seu entusiasmo... Reverência para consigo mesmo; amor a si mesmo; absoluta liberdade de si mesmo...

Muito bem, pois! Dessa espécie são os meus leitores, os meus verdadeiros leitores, meus leitores predeterminados: qual será, pois, o *resto*? — O resto é meramente a humanidade. O outro terá que tornar seu ser superior à humanidade, em poder, em elevação de espírito, em desdém.

Friedrich Nietzsche

1

Encaremo-nos bem de perto. Somos hiperbóreos — sabemos muito bem quanto é longe o nosso lugar. "Nem por terra nem por água encontraremos o caminho para os hiperbóreos." Mesmo Píndaro, em seu tempo, sabia muito bem *isso* a nosso respeito. Para além do Norte, para além do gelo, para além da *morte* — *a nossa* vida, *a nossa* felicidade... Descobrimos essa felicidade; sabemos o caminho; dele tomamos conhecimento graças a milhares de anos no labirinto. Quem *mais* o encontrou? — O homem de hoje? — "Não sei nem o caminho de saída nem o caminho de entrada; eu sou o que jamais conhece o caminho de saída ou o caminho de entrada" — assim lamuria o homem de hoje... *Essa* é a forma de modernismo que nos faz mal — estamos nauseados na paz indolente, no compromisso covarde, na virtuosa imundice do moderno Sim e Não. Essa tolerância e *largeur* de coração, que tudo "perdoa" porque "compreende" tudo, é para nós um siroco. Antes viver no meio do gelo que entre as virtudes modernas e outros semelhantes ventos-sul!... Fomos bastante bravos; não nos poupamos, nem poupamos os outros; mas passamos longo tempo procurando para *onde* dirigir a nossa coragem. Tornamo-nos sombrios; chamaram-nos fatalistas. O *nosso* destino — era a plenitude, a tensão, o *armazenamento* de poderes. Ansiávamos pelos relâmpagos e pelos grandes feitos; afastavamo-nos o mais possível da felicidade dos fracos, da "resignação"... Havia um trovão em nosso ar; a natureza, como nós a encarnávamos, obscureceu-se — *pois ainda não tínhamos encontrado o caminho*. A fórmula de nossa felicidade: um Sim, um Não, uma linha reta, um *objetivo*...

2

O que é bom? — Tudo que aumenta a sensação de poder, a vontade de poder, o próprio poder, no homem.

O que é mau? — Tudo que brota da fraqueza.

O que é felicidade? — A sensação de que o poder *aumenta* — que a resistência está vencida.

Não contentamento, porém mais poder; *não* paz a qualquer preço, mas guerra; *não* virtude, mas eficiência (virtude no sentido de Renascença, *virtu*, virtude livre do ácido moral).

Pereçam os fracos e os falhados: primeiro princípio de *nossa* caridade. E que cada um os ajude a isso.

O que é mais danoso do que qualquer vício? — A simpatia prática pelos fracos e falhados — o cristianismo...

3

O problema aqui abordado não consiste em saber o que substituirá o gênero humano na ordem das criaturas viventes (— o homem é um fim), mas que tipo de homem deve ser produzido, deve ser *desejado*, como sendo o mais valioso, o mais digno de viver, a mais segura garantia do futuro.

Esse tipo mais valioso apareceu muitas vezes no passado; mas sempre como um feliz acidente, como uma exceção, e jamais deliberadamente *desejado*. Muitíssimas vezes foi precisamente o mais temido; até agora, quase tem sido o terror dos terrores; e desse terror o tipo contrário tem sido o desejado, o cultivado e o *alcançado*; o animal doméstico, o animal do rebanho, o homem-animal enfermo — o cristão...

4

O gênero humano não representa uma evolução para um nível melhor, mais forte ou mais elevado, tal como o progresso é hoje compreendido. Esse "progresso" é meramente uma ideia moderna, quer dizer, uma ideia falsa. O europeu de hoje, em seu valor essencial, se situa muito abaixo do europeu da Renascença; o processo de evolução *não* significa necessariamente elevação, intensificação, fortalecimento.

É bem verdade que isso sucede em casos isolados individuais, em várias partes da Terra e no seio das mais diferentes culturas, e, em tais casos, manifesta-se, sem dúvida, um tipo *superior*; algo que, em comparação com a massa do gênero humano, parece uma espécie de super-homem. Tais felizes ocorrências de alto sucesso têm sido sempre possíveis, e continuarão possíveis, talvez por todos os tempos que hão de vir. Até mesmo raças, tribos e nações inteiras podem ocasionalmente representar esses *felizes acidentes*.

5

Não nos é lícito ataviar e enfeitar o cristianismo: ele travou uma guerra de morte contra aquele tipo *superior* da humanidade, condenou os mais profundos instintos de tal tipo, criou o conceito do mal, do próprio Mal, fruto de tais instintos — O homem forte como o réprobo, o "proscrito entre os homens". O cristianismo tomou o partido de todos os fracos, os baixos, os falhados; fez um ideal do *antagonismo* de todos os instintos de autopreservação da vida saudável; corrompeu mesmo as faculdades daquelas naturezas intelectualmente mais vigorosas, apresentando os mais altos valores intelectuais como pecaminosos, ilusórios, plenos de tentação. O exemplo mais lamentável: a corrupção de Pascal, que acreditava que o seu intelecto fora destruído pelo pecado original, quando, na verdade, fora destruído pelo cristianismo!

6

Apresenta-se diante de mim um doloroso e trágico espetáculo: ergui o pano sobre a corrupção do homem. Essa palavra, em minha boca, é pelo menos livre de uma suspeita: a de que envolva uma acusação moral contra a humanidade. É usada — e quero salientar isso de novo — sem qualquer significação moral: e isso é tanto mais verdade quanto a corrupção a que me refiro é, para mim, mais aparente justamente nos círculos onde tem havido, até agora, mais aspiração pela "virtude" e pela "piedade". Como provavelmente presumis, entendo a corrupção no sentido de *décadence*; meu argumento é o de que todos os valores nos quais a humanidade coloca as suas mais altas aspirações são valores de decadência.

Chamo corrupto um animal, uma espécie, um indivíduo, quando ele perde os seus instintos, quando escolhe, quando *prefere*, o que lhe é prejudicial. Uma história dos "sentimentos elevados", dos "ideais de humanidade" — e é possível que venha a escrevê-la — quase explicaria por que o homem é tão degenerado. A própria vida a mim se apresenta como um instinto para o crescimento, para a sobrevivência, para a acumulação de força, para o *poder*: sempre que falta a vontade do poder, ocorre o desastre. O que sustento é que todos os valores mais elevados da humanidade foram despojados dessa vontade — que os valores da decadência, do niilismo agora prevalecem sob os nomes mais sagrados.

7

O cristianismo é chamada a religião da *piedade*. A piedade se opõe a todas as paixões revigorantes que aumentam a energia da sensação de viver: é deprimente. O homem perde o poder quando sente piedade. Por obra da piedade, aquele esgotamento de forças que acarreta o sofrimento é multiplicado mil vezes. A piedade torna o sofrimento contagioso; em certas circunstâncias, ela pode levar a um total sacrifício da vida e da energia vital — uma perda de todo desproporcional em face da magnitude da causa (o caso da morte do Nazareno). Esse é o seu primeiro aspecto; existe outro, porém, ainda mais importante. Se medirmos os efeitos da piedade pela gravidade das reações que provoca, aparece sob uma luz muito mais clara seu caráter de ameaça à vida. A piedade opõe-se de todo à lei da evolução, que é a lei da seleção natural. Preserva o que está maduro para a destruição; luta ao lado dos deserdados e condenados pela vida; conservando a vida de tantos falhados de todas as espécies, dá à própria vida um aspecto sombrio e dúbio. A humanidade aventurou-se a chamar a piedade de virtude (em todo sistema moral *superior* ela aparece como uma fraqueza); indo ainda mais longe, ela tem sido chamada a virtude, a fonte e o supedâneo de todas as virtudes — mas não devemos nos esquecer que isso partiu do ponto de vista de uma filosofia que era niilista e em cujo escudo estava escrito a *negação da vida*. Schopenhauer nisso tinha razão: por meio da piedade nega-se a vida, e se torna *a vida digna de ser negada*. Repito: aquele deprimente e contagioso instinto opõe-se a todos os instintos que trabalham pela preservação e exaltação da vida: no papel de *protetora* dos miseráveis, é um agente principal na promoção da decadência; a piedade persuade à extinção... Naturalmente, não se fala em "extinção": fala-se em "o outro mundo" ou "Deus" ou Nirvana, salvação, bem-aventurança... Essa inocente retórica, do reino do palavrório ético-religioso, se mostra *bem menos* inocente quando se reflete sobre a tendência escondida sob palavras sublimes: a tendência de *destruir a vida*. Schopenhauer era hostil à vida: é por isso que a piedade lhe parecia uma virtude... Aristóteles, como todo o mundo sabe, via na piedade um doentio e perigoso estado de espírito, o remédio para o qual consistia em um purgativo ocasional: considerava a tragédia tal purgativo. O instinto vital deve nos permitir algum meio de lancetar qualquer acúmulo de piedade patológico e perigoso que surja, como no caso de Schopenhauer (e também, *hélas*, em toda a nossa literatura decadente, de São Petersburgo a Paris, de Tolstói a Wagner), para que rebente e escorra... Nada é mais doentio, no meio de nosso doentio modernismo, do que a piedade cristã. Sermos *aqui* os médicos, *aqui* nos mostrarmos implacáveis, *aqui* empunharmos o bisturi — tudo isso *nos* compete, tudo isso constitui a *nossa* espécie de humanidade, por esse sinal somos filósofos, somos hiperbóreos!

8

É necessário dizer exatamente *quem* consideramos como os nossos antagonistas: os teólogos e todo aquele que tem sangue teológico em suas veias — essa é toda a nossa filosofia... Deve-se enfrentar de perto tal ameaça, ou melhor ainda, deve-se experimentá-la diretamente e quase sucumbir diante dela, compreender que ela não deve ser encarada levianamente (o suposto livre pensamento de nossos naturalistas e fisiólogos parece-me uma pilhéria: eles não se apaixonam por tal coisa; não sofreram). Esse envenenamento vai bem mais além do que a maioria das pessoas imagina: encontro o hábito arrogante do teólogo entre aqueles que se apresentam como "idealistas" — entre todos aqueles que, em virtude de um ponto de partida mais elevado, pretendam o direito de se elevarem acima da realidade, e a veem com desconfiança... O idealista, como o eclesiástico, leva em suas mãos toda a sorte de conceitos grandiosos (e não somente em suas mãos!); lança-os, com benevolente desdém, contra o "entendimento", "os sentidos", a "honra", a "boa vida", a "ciência"; considera tais coisas como estando *abaixo* de si, como forças perniciosas e sedutoras, sobre as quais "a alma" paira como uma pura "coisa em si" — como se a humildade, a castidade, a pobreza, em suma, a *santidade*, já não tivesse feito muito mais dano à vida do que todos os horrores e vícios imagináveis... A pureza da alma é uma pura mentira... Enquanto o sacerdote, aquele negador, caluniador e envenenador *profissional* da vida, for aceito como uma variedade *superior* do homem, não poderá haver resposta à pergunta: O que é a verdade? A verdade já se encontra em sua cabeça quando o indiscutível agente da inanidade é considerado seu representante...

9

Contra o instinto teológico faço a guerra: encontro as suas pegadas por toda a parte. Quem quer que tenha sangue teológico em suas veias é trapaceiro e velhaco em todas as coisas. A coisa patética que surge dessa condição chama-se *fé*; em outras palavras, fechar os olhos para si mesmo de uma vez por todas, evitar compreender a incurável falsidade. As pessoas erguem um conceito de moralidade, de virtude, de santidade sobre essa falsa maneira de encarar todas as coisas; têm por base da boa consciência uma visão defeituosa; argumentam que nenhuma *outra* espécie de visão já não tem valor, uma vez que tornaram a sua sacrossanta com os nomes de "Deus", "salvação" e "eternidade".

Encontro esse instinto teológico em todas as direções: é a mais espalhada e a mais *subterrânea* forma de falsidade que se encontra na Terra. Tudo que um teólogo considera como verdade *tem que* ser falso: nisso quase se terá um critério da verdade. O seu profundo instinto de autopreservação se volta contra a verdade que se mostre sob qualquer aspecto, ou mesmo seja enunciada. Sempre que é sentida a influência dos teólogos, há uma transposição de valores, e os conceitos "verdadeiro" e "falso" são forçados a mudar de lugar: o mais danoso à vida passa a ser chamado "verdadeiro", e o que a exalta, a intensifica, a aprova e a torna triunfante é chamado de "falso"... Quando os teólogos, agindo sobre "as consciências" dos príncipes (ou dos povos), estendem a mão para o *poder*, não há a menor dúvida quanto à questão fundamental: a vontade de pôr um fim à vontade niilista de exercer tal poder...

10

Entre os alemães, sou imediatamente compreendido quando digo que o sangue teológico é a ruína da filosofia. O pastor protestante é o avô da filosofia alemã; o próprio protestantismo é um *peccatum originale*. Definição do protestantismo: paralisia hemiplégica do cristianismo — e da razão... Basta pronunciar as palavras "Escola de Tübingen" para se compreender o que é no fundo a filosofia alemã: uma artificiosíssima forma de teologia... Os suevos são os melhores mentirosos da Alemanha; mentem inocentemente... Por que todo esse regozijo com o aparecimento de Kant que percorreu todo o mundo letrado da Alemanha, três quartas partes do qual são constituídas por filhos de pregadores e professores — por que essa convicção alemã, que ainda ecoa, de que com Kant ocorreu uma mudança para *melhor*? O instinto teológico dos letrados alemães deve ter visto claramente *o que* se tornara possível de novo... Abrira-se uma porta dos fundos levando ao velho ideal; o conceito do "mundo verdadeiro", o conceito da moralidade como *essência* do mundo (os dois mais nefastos erros que jamais existiram!) tornaram-se mais uma vez, graças a um sutil e ardiloso ceticismo, senão realmente demonstrável, *pelo menos* já não mais *refutável*... *A razão, a prerrogativa* da razão, não vai tão longe... Da realidade se fez a "aparência"; um mundo absolutamente falso, o da substância, transformou-se em realidade... O sucesso de Kant não passa de um sucesso teológico; ele foi, como Lutero e Leibniz, nada mais que um empecilho à integridade alemã, já bem longe de ser firme.

11

Algumas palavras, agora, contra Kant como moralista. Uma virtude tem de ser nossa invenção; deve brotar de nossas necessidades naturais, para nossa defesa. Em qualquer outro caso, é uma fonte de perigo. Tudo que não pertence à nossa vida a *ameaça*; uma virtude que tem as suas raízes no simples respeito ao conceito de "virtude", como Kant queria, é perniciosa. "Virtude", "dever", o "bem pelo bem", a bondade baseada na impersonalidade ou em uma noção de validez universal — tudo isso não passa de quimeras, e nelas encontramos apenas uma expressão da decadência, o último colapso da vida, o espírito chinês de Königsberg. Exatamente o contrário é exigido pelas mais profundas leis da autopreservação e do desenvolvimento: perceber que todo homem encontra a *sua própria* virtude, o *seu próprio* imperativo categórico. Uma nação se despedaça quando confunde o seu dever com o conceito geral de dever. Nada provoca mais completo e pungente desastre do que todo dever "impessoal", todo sacrifício diante do Moloc da abstração... Pensar-se que ninguém achou o imperativo categórico de Kant *perigoso para a vida*!... Somente o instinto teológico o tomou sob a sua proteção! — Uma ação motivada pelo instinto vital mostra-se uma ação correta, pela quantidade de prazer que traz consigo; no entanto, aquele niilista, com as suas entranhas de dogmatismo cristão, considera o prazer como uma *objeção*... O que destrói mais o homem do que trabalhar, refletir e sentir, sem um desejo pessoal profundo, sem prazer — como um mero autômato do dever? Essa é a receita para a decadência, e não menos para a idiotia... Kant tornou-se um idiota. E aquele homem era contemporâneo de Goethe! Aquele calamitoso fiandeiro de teias de aranha foi considerado o filósofo alemão — e ainda é!... Prefiro não dizer o que penso dos alemães... Kant não viu na Revolução Francesa a transformação do Estado inorgânico para o *orgânico?* Não perguntou a si mesmo se havia algum único evento que pudesse ser explicado além da presunção de uma faculdade moral no homem, de modo que, com base nisso, "a tendência do gênero humano para o bem" podia ser explicada de uma vez para sempre? A resposta de Kant: "Isso é a revolução". O instinto desnorteado em tudo e com tudo, o instinto em revolta contra a natureza, a decadência alemã como fantasia — *isso é Kant!*

12

Deixo de lado uns poucos céticos, os exemplos de decência na história da filosofia; os restantes não têm a menor noção de integridade intelectual. Comportam-se como mulheres, todos aqueles entusiastas e prodígios consideram os "belos sentimentos" como argumentos, o "coração ansioso" como marca da inspiração divina, a convicção como o critério da verdade. No fim, com uma inocência "germânica", Kant procura dar um odor científico àquela forma de corrupção, àquela morte da consciência intelectual, chamando-a de "razão prática". Deliberadamente, ele inventou uma variedade de razões para usar em ocasiões em que não era desejável preocupar-se com a razão — isto é, quando a moralidade, quando a ordem sublime "assim farás" era ouvida. Quando se recorda que, entre todos os povos, o filósofo não passa de um desenvolvimento do velho tipo de sacerdote, essa herança sacerdotal, essa *fraude contra si mesmo* não mais causa surpresa. Quando um homem acha que está investido de uma missão divina, digamos elevar-se, salvar ou libertar a humanidade — quando um homem sente a centelha divina em seu coração e acredita ser o porta-voz de imperativos sobrenaturais — quando tal missão o inflama, é mais do que natural que ele se coloque além dos padrões de julgamento meramente razoáveis. Ele se sente santificado por essa missão, sente que ele próprio é um tipo de uma ordem superior!... O que tem a ver um sacerdote com a filosofia? Ele paira muito acima dela! — E até agora, o sacerdote tem *governado*! Tem determinado a significação de "verdade" e "inverdade".

13

Não subestimemos este fato: que *nós mesmos*, espíritos livres, já somos uma "transposição de todos os valores", uma *visibilizada* declaração de guerra e de vitória contra todos os velhos conceitos de "verdadeiro" e "não verdadeiro". As mais valiosas intuições são as últimas a serem alcançadas; as mais valiosas de todas são as que determinam *métodos*. *Todos* os métodos, todos os princípios do espírito científico de hoje foram, durante milhares de anos, objetos do mais profundo desdém; se um homem os buscava, era excluído da sociedade das pessoas "decentes" — passava a ser "um inimigo de Deus", um escarnecedor da verdade, um "possesso". Como cientista, era um pária... Tivemos contra nós toda a patética estupidez da humanidade — toda a sua noção do que *devia ser* a verdade, todo o seu "assim farás"... Os nossos objetivos, os nossos métodos, nossos modos tranquilos, cautelosos, dubitativos — tudo isso lhes parecia como absolutamente desacreditado e desprezível. Olhando-se para trás, quase se pode perguntar a si mesmo com razão se não foi de fato um sentimento estético que manteve os homens cegos durante tanto tempo: o que pediam à verdade era o pitoresco e dos sábios um forte apelo aos seus sentidos. Foi a nossa *modéstia* que se opôs por tanto tempo ao seu gosto... Como adivinharam bem, esses sabichões de Deus!

14

Desaprendemos algo. Tornamo-nos mais modestos em todos os sentidos. Já não derivamos o homem do "espírito", da "divindade"; rebaixamo-lo, colocando-o entre os animais. Consideramo-lo como o mais forte dos animais, por ser o mais hábil; um dos resultados disso é a sua intelectualidade. Por outro lado, protegemo-nos contra um conceito que se afirma aqui mesmo: que o homem é a grande reconsideração no processo da evolução orgânica. Ele é, na verdade, nada mais que o cimo da criação: ao seu lado existem muitos outros animais, todos em semelhantes estágios de desenvolvimento... E mesmo quando assim dizemos, exageramos bastante, pois o homem, relativamente falando, é o mais distorcido e mais doentio de todos os animais, e que se afastou perigosamente de seus instintos — embora com tudo isso, não resta a menor dúvida, continue a ser o mais *interessante*! — No que diz respeito aos outros animais, foi Descartes o primeiro que teve realmente a admirável ousadia de considerá-los *máquinas*; o conjunto de nossa fisiologia tende a provar a verdade dessa doutrina. Mais do que isso, é ilógico colocar o homem à parte, como fez Descartes: o que sabemos hoje a respeito do homem está determinado precisamente pelo limite até o qual o consideramos, também, como máquina.

Antes, atribuíamos ao homem, como herança de uma ordem de seres superiores, o que era chamado "livre-arbítrio"; agora dele retiramos até mesmo esse arbítrio, pois a expressão já não representa coisa alguma que possamos reconhecer. A velha palavra "arbítrio" ou "vontade" induz apenas uma sorte de resultado, uma reação individual, que se segue, inevitavelmente, a uma série de estímulos em parte discordantes e em parte harmoniosos — a vontade já não "age" ou "se move"... Antigamente, pensava-se que a consciência do homem, seu "espírito", oferecia uma prova de sua alta origem, de sua divindade. A fim de que pudesse *aperfeiçoar-se*, era aconselhado a recolher os seus sentidos dentro da casca, à maneira de uma tartaruga, a não manter comércio com as coisas terrenas, a livrar-se do seu invólucro mortal — a fim de que permanecesse a única parte sua de importância, o "puro espírito". Também aqui imaginamos coisa melhor: para nós, a consciência ou "o espírito", apresenta-se como um sintoma de uma relativa imperfeição do organismo, como uma experiência, um tacteio, um equívoco, como uma aflição que usa uma força nervosa desnecessariamente — negamos que qualquer coisa possa ser feita perfeitamente enquanto for feita conscientemente. O "puro espírito" não passa de pura estupidez: tirai o sistema nervoso e os sentidos, o chamado "invólucro mortal" e o *resto é um erro de cálculo* — apenas isso!...

15

No cristianismo, nem a moralidade nem a religião têm qualquer ponto de contato com a realidade. O cristianismo oferece apenas *causas* puramente imaginárias ("Deus", "alma", "ego", "espírito", "livre-arbítrio" — ou mesmo "não livre") e *efeitos* puramente imaginários ("pecado", "salvação", "graça", "castigo", "perdão dos pecados"). O relacionamento entre *seres* imaginários ("Deus", "espíritos", "almas"); uma *história natural* imaginária (antropocêntrica; uma completa negação do conceito das causas naturais); uma *psicologia* imaginária (incompreensão de si mesmo, incompreensão dos sentidos gerais do agradável e do desagradável — por exemplo, dos estados do *nervus sympathicus* com a ajuda da linguagem de sinais da algaravia ético-religiosa, "remorso", "consciência pesada", "tentação pelo diabo", "presença de Deus"); uma *teleologia* imaginária (o "reino de Deus", o "juízo final", a "vida eterna"). Esse *mundo puramente fictício*, para grande desvantagem sua, tem de ser diferenciado do mundo dos sonhos; esse último pelo menos reflete a realidade, enquanto o primeiro a falsifica, diminui-a e nega-a. Uma vez que o conceito "natureza" se opôs ao conceito "Deus", necessariamente o mundo "natural" assumiu a significação de "abominável" — o conjunto daquele mundo fictício tem sua origem no ódio ao natural (ao real!), e não é mais que a evidência de um profundo mal-estar em presença da realidade... *Isso explica tudo.* Quem apenas tem razão de querer viver fora da realidade? O homem que sofre com a realidade. Mas para sofrer com a realidade tem-se de ser uma realidade *deformada*... A preponderância do sofrimento sobre o prazer é a causa dessa fictícia moralidade e religião; mas tal preponderância também oferece a fórmula para a decadência...

16

A crítica do *conceito cristão de Deus* leva inevitavelmente à mesma conclusão. Uma nação que ainda acredita em si mesma se apega fortemente ao seu próprio deus. Nele honra as condições que lhe permitem sobreviver, as suas virtudes — projeta a sua alegria em si mesma, seu sentimento de poder; um ser, em suma, ao qual se possa dirigir agradecimentos. O que é rico oferece-lhe parte de sua riqueza; um povo orgulhoso precisa de um deus a quem faça *sacrifícios*... A religião, dentro desses limites, é uma forma de gratidão. O homem sente-se grato por sua própria existência: para isso precisa de um deus. Tal deus deve ser capaz de proporcionar tanto benefícios como danos; deve ser capaz de ser amigo ou inimigo — é admirado tanto pelo bem como pelo mal que faz. Mas a castração, contra toda a natureza, de tal deus, tornando-o apenas um deus de bondade, contraria a inclinação humana. A humanidade tem tanta necessidade de um deus bom como de um deus mau; não tem de agradecer o simples humanitarismo e tolerância pela sua existência... Que valor teria um deus que não conhecesse a ira, a vingança, a inveja, o desdém, a trapaça, a violência? Que jamais talvez tivesse experimentado os exaltantes *ardeurs* da vitória e da destruição? Ninguém compreenderia tal deus; como pode alguém querê-lo? — Na verdade, quando uma nação trilha o caminho da decadência, quando vê se perdendo sua crença no futuro, sua esperança na liberdade, quando começa a ver a submissão como a necessidade primordial e as virtudes de submissão como medidas de autopreservação, então terá de alterar seu deus. Ele se torna, então, hipócrita, timorato e cauteloso; aconselha a "paz de espírito", a tolerância, o "amor" a amigos e inimigos. Moraliza infindavelmente; insinua-se em todas as virtudes privadas; torna-se o deus de cada homem; torna-se um cidadão comum, um cosmopolita... Antigamente, ele representava um povo, a força de um povo, tudo que há de agressivo e sedento de poder na alma de um povo; agora é simplesmente o *deus bom*... A verdade é que não há outra alternativa para os deuses: *ou* são a vontade de poder — caso em que são deuses nacionais — *ou* a incapacidade para o poder — caso em que têm de ser bons...

17

Sempre que a vontade de poder começa a declinar, sob qualquer forma que seja, acarreta sempre, como consequência, um declínio fisiológico, uma decadência. A divindade dessa decadência, privada de suas virtudes e paixões másculas, é convertida necessariamente em um deus dos fisiologicamente degradados, dos fracos. É claro que eles não se *chamam* de fracos; chamam-se de "os bons"... Desnecessária é uma indicação para fixar os momentos na história em que a ficção dualista de um deus bom e um deus mau se torna possível pela primeira vez. O mesmo instinto que leva o inferior a reduzir o seu próprio deus à "bondade em si mesma" também o leva a eliminar todas as boas qualidades do deus de seus superiores; vinga-se de seus amos tornando *diabo* o deus daqueles. O deus e o diabo que o acompanha — ambos são abortos da decadência. Como podemos ser tolerantes para com a ingenuidade dos teólogos cristãos de sustentarem em sua doutrina que a evolução do conceito de deus, do "deus de Israel", o deus de um povo, para o deus cristão, a essência de toda a bondade, deve ser considerada como *progresso*? — Mesmo Renan, todavia, chegou a isso. Como se Renan tivesse o direito de ser ingênuo! O contrário, realmente, ressalta em cheio. Quando tudo que é necessário para *subir* na vida; quando tudo que é forte, corajoso, dominador e orgulhoso foi eliminado do conceito de deus; quando ele se afundou, passo a passo, até o nível de um bordão para os extenuados, uma tábua de salvação, para os que se afogam; quando ele se torna o deus do indigente, o deus do pecador, o deus do inválido por excelência, e o atributo de "salvador" ou "redentor" permanece como atributo essencial da divindade — qual é exatamente a significação de tal metamorfose? O que implica tal *redução* da divindade? — Sem sombra de dúvida, o "reino de Deus" tornou-se, assim, maior. Antes, ele continha apenas o seu próprio povo, o povo "escolhido". Depois, porém, viu tudo peregrinando, como seu próprio povo, em terras estranhas; coube-lhe aquietar-se em algum lugar; afinal, acabou se sentindo em casa em toda a parte, e tornou-se o grande cosmopolita — até agora tem tido a "grande maioria" ao seu lado, e metade da Terra. Mas esse deus da "grande maioria", esse democrata entre os deuses, não se tornou um orgulhoso deus pagão; ao contrário, continua a ser um deus judeu, um deus de recantos esconsos, um deus de todos os recessos tenebrosos, de todos os lugares nauseabundos do mundo!... Seu reino terreno, agora, como sempre, é o reino da ralé, um reino subterrâneo, um reino de gueto... E ele próprio é tão pálido, tão fraco, tão decadente!... Mesmo os mais pálidos dos pálidos conseguem dominá-lo — os senhores metafísicos, esses albinos do intelecto. Teceram suas teias de aranha em torno dele por tanto tempo que finalmente o hipnotizaram, e ele próprio começou a tecer e tornou-se outro metafísico. A partir de então, ele reiniciou seu velho trabalho de tecer o mundo tirando-o do seu mais profundo ser *sub specie Spinozae*; a partir de então, tornou-se mais pálido e mais magro — tornou-se o "ideal", o "espírito puro", tornou-se o "absoluto", tornou-se a "coisa em si"... O *colapso de um deus*: tornou-se uma "coisa em si".

18

O conceito cristão de um deus — o deus como protetor dos enfermos, o deus tecedor de sofismas, o deus como espírito — é um dos conceitos mais podres que jamais foram apresentados no mundo: provavelmente toca o nível mais baixo da água na evolução do tipo de deus. Deus degenerado até tornar-se a *contradiçao da vida*. Em vez de ser a sua transfiguração e o eterno Sim! Nele, é declarada guerra à vida, à natureza, à vontade de viver! Deus torna-se a fórmula para todas as calúnias contra o "aqui e agora", e todas as mentiras acerca do "além"! Nele coisa alguma é deificada, e a vontade do nada se torna santa!...

19

O fato de não terem as raças fortes da Europa setentrional repudiado esse Deus cristão não denota, de sua parte, muita queda para a religião e menos ainda bom gosto. Deveriam ter sido capazes de liquidar tal moribundo e gasto produto da decadência. A maldição pesa sobre elas, porque não estiveram à altura; tornaram a doença, a decrepitude e a contradição uma parte de seus instintos — e desde então não conseguiram *criar* mais deus algum. Dois mil anos chegaram e partiram — e nem um único deus novo! Em vez disso, ainda existe, e como se por algum direito intrínseco — como se fosse o *ultimatum* e *maximum* do poder de criar deuses, do *creator spiritus* na humanidade — aquele lamentável deus do monoteísmo cristão! Aquela imagem híbrida da decadência, surgida da vacuidade, da contradição e da vã imaginação, na qual encontram sanção todas as covardias e fraquezas da alma!

20

Em minha condenação do cristianismo, espero, firmemente, não cometer injustiça contra uma religião afim com um número de crentes ainda maior: refiro-me ao *budismo*. Ambas devem ser classificadas entre as religiões niilistas — ambas são religiões da decadência — mas se distinguem uma da outra em um ponto muito importante. Realmente, o fato de poder o crítico do cristianismo *compará-las* se deve aos letrados da Índia. O budismo é cem vezes mais realista do que o cristianismo — faz parte de uma herança viva capaz de enfrentar problemas objetiva e friamente; é o produto de longos séculos de especulações filosóficas. O conceito "deus" já estava resolvido e afastado antes do seu aparecimento. O budismo é a única religião verdadeiramente *positiva* encontrada na história e isso se aplica mesmo à sua epistemologia (que é um fenomenismo estrito). Não fala de uma "luta com o pecado", mas, apegando-se à realidade, da "luta com o sofrimento". Divergindo acentuadamente do cristianismo, coloca por trás dela a autodecepção que reside nos conceitos morais; está, segundo as minhas palavras, *além* do bem e do mal. Os dois fatos fisiológicos nos quais se apoia e nos quais concentra a sua maior atenção são: primeiro, uma excessiva sensibilidade, que se manifesta como uma refinada suscetibilidade ao sofrimento; e, em segundo lugar, uma extraordinária espiritualidade, uma preocupação excessivamente prolongada pelos conceitos e pelos processos lógicos, sob a influência das quais o instinto de personalidade se submete a uma noção de "impersonalidade". (Ambos esses estados serão familiares a alguns poucos de meus leitores, os objetivos, por experiência, como são a mim.) Esses estados fisiológicos provocam uma *depressão*, e Buda procurou combatê-los com medidas higiênicas. Contra eles, prescreve uma vida ao ar livre, uma vida de viagem; moderação ao alimentar-se e cuidadosa escolha de alimentos; precaução no uso de inebriantes; a mesma precaução quanto às paixões que provocam um hábito bilioso e aquecem o sangue; finalmente, não se *preocupar*, quer por sua própria causa, quer por causa de outrem. Estimula as ideias que redundam em tranquilo contentamento ou em viver bem

— encontra meios para combater ideias de outra sorte. Entende o bem, a bondade, como algo que promove a saúde. Não está incluída a *prece*, nem o *ascetismo*. Não há imperativo categórico nem qualquer disciplina, mesmo dentro dos muros de um convento (é sempre possível deixá-lo). Tais coisas podem ter sido simplesmente meios de aumentar a excessiva sensibilidade acima mencionada. Pelo mesmo motivo, ele não advogou qualquer conflito com os incréus; seus ensinamentos são contrários a tudo que seja vingança, aversão, *ressentimento* ("a inimizade jamais traz um fim à inimizade": eis o refrão de todo o budismo...). E em tudo isso ele tinha razão, pois são precisamente tais paixões que, do ponto de vista de sua principal empresa normativa, são *malsãs*. A fadiga mental que observa, já plenamente exposta com muito "objetivismo" (isto é, a perda de interesse do indivíduo por si mesmo, na perda do equilíbrio e do "egoísmo"), é por ele combatida por meio de enérgicos esforços no sentido de levar mesmo os interesses espirituais de volta ao *ego*. No ensinamento de Buda, o egoísmo é um dever. A "coisa necessária", a questão de se saber "quando podes livrar-te do sofrimento" regula e determina toda a dieta espiritual. (Talvez alguém aqui se lembre do ateniense que também declarou guerra ao puro "cientismo", à razão, Sócrates, que também elevou o egoísmo à condição de moralidade.)

21

As coisas necessárias ao budismo são um clima muito ameno, grande gentileza de costumes e liberalidade, e *nada* de militarismo; além disso, tudo deve começar entre as classes mais altas e mais cultas. A alegria, tranquilidade e ausência de desejo constituem os seus principais objetivos, e são alcançadas. O budismo não é uma religião em que a perfeição seja meramente uma aspiração: a perfeição é normal.

No cristianismo, os instintos dos subjugados e oprimidos vêm à tona: somente aqueles que estão no fundo procuram nele a sua salvação. Nele, o passatempo predominante, o remédio favorito para o tédio, é a discussão sobre o pecado, a autocensura, a inquisição da consciência; a emoção produzida pelo *poder* (chamado "Deus") é expulsa (pela prece); o mais elevado bem é considerado inatingível, considerado um dom, considerado "a graça". Nele, falta também o tratamento aberto; o esconderijo e a escuridão são cristãos. Nele, o corpo é desprezado e a higiene denunciada como sensual; a igreja se opõe mesmo à limpeza (a primeira ordem dos cristãos depois da expulsão dos mouros foi a de fechar os estabelecimentos de banhos públicos, dos quais só em Córdoba havia 270). O cristão, além disso, mostra uma certa crueldade para consigo mesmo e para com os outros; odeia os incréus; deseja persegui-los. Ideias sombrias e inquietantes mostram-se no primeiro plano; as mais estimadas manifestações mentais, trazendo os nomes mais respeitáveis, são epileptoides; a dieta é regulada de modo a engendrar sintomas mórbidos e superestimular os nervos. O cristão, ademais, é mortalmente inimigo dos governantes da Terra, dos "aristocratas" — juntamente com uma espécie de rivalidade diante deles (entrega-lhes apenas o "corpo"; só se quer a "alma"...). É cristão o ódio completo à inteligência, ao orgulho, à coragem, à liberdade, à *libertinagem* intelectual; é cristão o ódio aos sentidos, à alegria dos sentidos, à alegria em geral...

22

Quando o cristianismo partiu de sua terra natal, a das ordens mais baixas, o *submundo* da Antiguidade, e começou a buscar o poder entre os povos bárbaros, não mais tinha de se haver com homens *esgotados*, mas com homens ainda interiormente selvagens e capazes da autotortura — em resumo, homens fortes, mas confusos. Aqui, como no caso dos budistas, a causa do descontentamento para consigo mesmo, do sofrimento consigo mesmo, *não* é meramente uma sensibilidade e uma suscetibilidade geral para o sofrimento, mas, ao contrário, uma desordenada sede de infligir sofrimento aos outros, uma tendência de obter satisfação subjetiva em feitos e ideias hostis. O cristianismo teve de aceitar conceitos e valores *bárbaros* a fim de obter o domínio sobre os bárbaros: de tal ordem, por exemplo, são o sacrifício do primogênito, a ingestão de sangue como sacramento, o desprezo pela inteligência e pela cultura; a tortura em todas as suas formas, sejam corporais ou não; a pompa completa do culto. O budismo é uma religião para povos já em um estágio mais adiantado de desenvolvimento, para raças que se tornaram gentis, bondosas e superespiritualizadas (a Europa não está pronta para ele); é uma convocação que as leva de novo à paz e à alegria, a uma cautelosa racionalização do espírito, um certo endurecimento do corpo. O cristianismo visa dominar *animais carniceiros*; seu *modus operandi* consiste em torná-los *enfermos* — enfraquecer, tal é a receita cristã, para domar, para "*civilizar*". O budismo é uma religião para os estágios finais, exaustos, da civilização. O cristianismo aparece antes que a civilização tenha sequer começado — sob certas circunstâncias ele constitui seus próprios alicerces.

23

O budismo, repito, é cem vezes mais austero, mais honesto, mais objetivo. Já não mais tem de *justificar* as suas dores, a sua suscetibilidade ao sofrimento, interpretando tais coisas em termos de pecado — diz simplesmente, como simplesmente pensa, "Eu sofro". Para o bárbaro, contudo, o sofrimento em si mesmo é pouco compreensível: do que ele precisa, acima de tudo, é uma explicação de *por que* ele sofre. (Seu simples instinto o leva a negar de todo o sofrimento ou suportá-lo em silêncio.) Aqui, a palavra "diabo" foi uma bênção: o homem tinha de ter um inimigo onipotente e terrível — não precisava ter vergonha de sofrer nas mãos de tal inimigo.

No fundo do cristianismo, há várias sutilezas que pertencem ao Oriente. Em primeiro lugar, ele sabe que tem muito pouca importância uma coisa ser ou não verdadeira, enquanto se *acreditar* que é verdadeira. Verdade e *fé*: eis dois mundos de ideias totalmente distintos, dois mundos quase diametralmente *opostos* — o caminho de um e o caminho do outro se separam por grande distância.

Compreender tal fato completamente — é quase bastante no Oriente para *fazer* um sábio. Os brâmanes sabiam disso, Platão sabia disso, todo estudante de esoterismo sabe disso. Quando, por exemplo, um homem sente algum *prazer* vindo da noção de que tenha sido salvo do pecado, não lhe é necessário que seja de fato pecador, mas apenas que se *sinta* pecador. Quando, porém, a fé é assim exaltada acima de tudo mais, segue-se necessariamente que a razão, o conhecimento e a paciente pesquisa ficam desacreditados: o caminho para a verdade torna-se um caminho proibido. A esperança, em suas formas mais fortes, é um *estimulante* à vida muito mais poderoso do que pode ser jamais qualquer espécie de alegria alcançada. O homem deve ser mantido no sofrimento por uma esperança tão alta que nenhum conflito com a realidade possa desafiá-la — tão alta, na verdade, que nenhuma consecução poderá *satisfazê-la*: uma esperança fora dos limites deste mundo. (Precisamente por causa do poder que tem a esperança de deter o sofrimento, os gregos a consideravam como o mal dos males, como o mais *maligno* dos males; ficava por trás da fonte de todos os males.) — A fim de que o *amor* seja possível, Deus tem de tornar-se uma pessoa; a fim de que os mais baixos instintos participem no caso, Deus tem que ser jovem. Para satisfazer o ardor das mulheres, um belo santo tem de aparecer em cena, e, para satisfazer o dos homens, tem de haver uma virgem. Essas coisas são necessárias ao cristianismo para assumir o domínio em terras onde algum culto a Afrodite ou a Adônis já dava uma certa indicação de como o culto deveria ser.

Insistir sobre a *castidade* grandemente fortaleceu a veemência e o subjetivismo do instinto religioso — tornar o culto mais caloroso, mais entusiástico, mais veemente. O amor é o estado em que o homem vê mais decididamente as coisas como não são. A força da ilusão atinge aqui o seu ponto mais alto, e o mesmo acontece com a capacidade de adoçar, de *transfigurar*. Quando um homem ama, suporta mais os percalços do que em qualquer outra ocasião; submete-se a qualquer coisa. O problema era inventar uma religião que permitisse amar: graças a isso é superado o pior que a vida pode oferecer — isso mal é notado. A mesma coisa para as três virtudes cristãs: fé, esperança e caridade; prefiro chamá-las as três ingenuidades *cristãs*. O budismo está em um estágio de desenvolvimento muito posterior, bem cheio de positivismo, para ser sagaz de tal maneira.

24

Mal me referi ao problema da *origem* do cristianismo. A *primeira* coisa necessária para a sua solução é a seguinte: o cristianismo só pode ser compreendido se se examinar o solo em que germinou — *não* é uma reação contra os instintos judaicos; é o seu inevitável produto; é simplesmente mais um passo na lógica dos judeus inspirada pelo medo. Nas palavras do Salvador, "a salvação vem dos judeus". A *segunda* coisa que deve ser lembrada é esta: o tipo psicológico do galileu ainda não foi reconhecido, mas somente em sua forma mais degenerada (que é imediatamente mutilada e sobrecarregada com feições estrangeiras) pôde servir da maneira em que foi usado: como um tipo do *Salvador* da humanidade.

Os judeus são o povo mais notável na história do mundo, pois, quando enfrentaram a questão de ser ou não ser, escolheram, com uma deliberação perfeitamente fantástica, ser a *qualquer preço*; esse preço acarretou uma radical *falsificação* de toda a natureza, de toda a naturalidade, de toda a realidade, de todo o mundo interior, assim como do exterior. Eles se opuseram a todas aquelas condições de acordo com as quais, até então, um povo fora capaz de viver ou mesmo *tivera permissão* de viver; de si mesmos tiraram uma ideia que se opunha diretamente às condições *naturais* — uma a uma deformaram a religião, a civilização, a moralidade, a história e a psicologia, até tornar cada uma delas uma *contradição* com a sua *significação natural*. Encontramos o mesmo fenômeno mais tarde, sob uma forma incalculavelmente exagerada, mas apenas como uma cópia: a igreja cristã deixou de lado o "povo de Deus", revela uma completa ausência de qualquer pretensão à originalidade. Precisamente por essa razão, os judeus são o povo mais *fatídico* na história do mundo; sua influência falsificou a tal ponto o raciocínio da humanidade a esse respeito que hoje os cristãos podem cultivar o antissemitismo, sem compreender que ele nada mais é que *a consequência final do judaísmo*.

Em minha *Genealogia da Moral*, apresentei a primeira explicação psicológica dos conceitos que sustentam estas duas coisas antitéticas: uma moralidade *nobre* e uma moralidade de *ressentimento*, a segunda das quais é um mero produto da negação da primeira. O sistema da moral judaico-cristã pertence à segunda divisão, e em todos os pormenores. A fim de poder dizer *Não* a tudo que represente uma evolução ascensional da vida — isto é, ao bem-estar, ao poder, à beleza, à autossatisfação — os instintos de *ressentimento* aqui tornam-se o completo inspirador, inventaram um *outro* mundo no qual a *aceitação da vida* se mostra como mais maligna e abominável coisa imaginável. Psicologicamente, os judeus são um povo dotado de vitalidade verdadeiramente fortíssima, a tal ponto que, quando se veem enfrentando condições de vida impossíveis, escolhem, voluntariamente, e com um profundo talento para a autopreservação, o lado de todos aqueles instintos que tendem para a decadência — não como se os dominassem, mas como se assinalassem neles um poder pelo qual o mundo pode ser *desafiado*. Os judeus são o oposto de decadentes; simplesmente, foram forçados a *aparecer* sob aquele disfarce, e com uma habilidade que se aproxima do *non plus ultra* do gênio histriônico, conseguiram colocar-se à frente de todos os movimentos decadentes (por exemplo, o cristianismo de Paulo) e torná-los algo mais forte do que qualquer grupo que diga francamente *Sim* à vida. Para a sorte de homens que buscam o poder no judaísmo e no cristianismo — quer dizer, a classe *sacerdotal* — a decadência nada mais é que um meio para um fim. Homens dessa sorte têm um interesse vital de tornar a humanidade enferma, e de confundir os valores do "bom" e do "mau", "verdadeiro" e "falso", de uma maneira que não é somente perigosa, como também caluniosa à vida.

25

A história de Israel é de valor incalculável como uma história típica de uma tentativa de *desfigurar* todos os valores naturais; apresentarei cinco fatos que deixam isso claro. Originalmente, e acima de tudo durante a monarquia, Israel manteve a atitude certa das coisas, quer dizer, a atitude natural. Seu Iavé era a expressão de sua consciência de poder, sua alegria em si mesmo, suas esperanças para si mesmo; para ele, os judeus se voltavam em busca da vitória e da salvação e, por seu intermédio, esperavam que a natureza lhes desse tudo que lhes era necessário à sua existência — acima de tudo, chuva. Iavé é o deus de Israel, e, *em consequência*, o deus da justiça; essa é a lógica de todas as raças que têm o poder nas mãos e uma boa consciência quanto à maneira de usá-lo. Nas cerimônias religiosas dos judeus estão revelados ambos os aspectos dessa autoaprovação. A nação é grata pelo alto destino que lhe permitiu alcançar o domínio; é grata pela benigna passagem das estações, e pela boa sorte que espera os seus rebanhos e as suas searas. Essa maneira de encarar as coisas permaneceu como um ideal durante longo tempo, mesmo depois de já ter sido privado de validez por trágicas adversidades: a anarquia no interior e a Assíria no exterior. O povo, contudo, ainda conservava, como uma projeção de seus mais altos anseios, aquela visão de um deus que era ao mesmo tempo um valente guerreiro e um íntegro juiz — visão melhor apresentada pelo profeta típico (isto é, o crítico e o satírico do momento), Isaías. Todas as esperanças, porém, permaneceram inatingíveis. O velho deus já não mais *podia* fazer o que costumava fazer. Tinha de ser abandonado. Mas o que realmente aconteceu? Simplesmente isto: a concepção que se tinha dele foi *mudada*, foi *desfigurada*; foi esse o preço que se teve de pagar para conservá-lo. Iavé, o deus da "justiça" — não mais está de acordo com Israel, já não representa o egoísmo nacional; é agora deus apenas condicionalmente... A noção pública desse deus torna-se agora meramente uma arma nas mãos dos agitadores clericais, que interpretam toda ventura como uma recompensa e toda desventura como um castigo por obediência ou desobediência para com ele, pelo "pecado"; eis a mais fraudulenta de todas as interpretações imagináveis, mediante a qual se estabelece uma "ordem moral do mundo", e se alteram os conceitos fundamentais de "causa" e "efeito".

Uma vez expulsa do mundo a causalidade natural, em virtude das doutrinas de recompensa e castigo, torna-se necessária alguma espécie de causalidade *não* natural; e seguem-se todas as outras variedades de negação da natureza. Um deus que *pede* — em lugar de um deus que ajuda, que aconselha, que é, no fundo, meramente um nome para toda a inspiração feliz da coragem e da confiança em si mesmo... A *moralidade* já não é um reflexo das condições necessárias a uma vida saudável e ao desenvolvimento do povo; já não é o instinto vital primário; tornou-se, em vez disso, abstrata e oposta à vida — uma fundamental perversão da fantasia, um "olho mau" fitando todas as coisas. *Qual* é a moralidade judaica, *qual* é a moralidade cristã? A sorte privada de sua inocência; a desventura poluída com a ideia do "pecado"; o bem-estar representado como um perigo, uma "tentação"; uma desordem fisiológica produzida pela lagarta da consciência...

26

O conceito de deus falsificado; o conceito de moralidade falsificado; nem aí, todavia, parou a política clerical dos judeus. Toda a história de Israel deixou de ter qualquer valor: fora com ela! — Aqueles sacerdotes realizaram aquele milagre de falsificação de que constitui documento comprobatório grande parte da Bíblia; com um desdém sem paralelo e, em face de toda a tradição e realidade histórica, traduziram todo o passado de seu povo em termos *religiosos*, quer dizer, converteram-no em um mecanismo idiota de salvação, graças ao qual todas as ofensas a Iavé eram punidas e toda a devoção a ele recompensada. Consideraríamos esse ato de falsificação histórica muito mais vergonhoso se a familiaridade com a interpretação *eclesiástica* da história durante milhares de anos não tivesse embotado as nossas inclinações para a honestidade *in historicis*. E os filósofos apoiam a igreja; a mentira acerca de uma "ordem moral do mundo" perpassa por toda a filosofia, mesmo a mais recente. O que significa "ordem moral do mundo"? Que existe algo chamado vontade de Deus, que, de uma vez para sempre, determina o que o homem deve e o que o homem não deve fazer; que a dignidade de um povo, ou de um indivíduo desse povo, tem de ser medida de acordo com o que fazem para obedecer a essa vontade de Deus; que os destinos de um povo ou de um indivíduo são *dirigidos* por essa vontade de Deus, que recompensa ou pune segundo o grau de obediência manifestado. Em lugar de toda essa lamentável mentira, a *realidade* tem a dizer: o sacerdote, uma variedade parasitária do homem que só pode existir à custa de todas as formas saudáveis de encarar a vida, invoca o nome de Deus em vão: clama por aquele estado da sociedade humana na qual ele próprio determina o valor de todas as coisas, "o reino de Deus"; com frio cinismo, estima todos os povos, todas as épocas e todos os indivíduos pela extensão de sua subserviência ou oposição ao poder da ordem sacerdotal. Observemo-lo no trabalho: nas mãos do clero judaico, a *grande* época de Israel tornou-se uma época de decadência; o Exílio, com sua longa série de infortúnio, foi transformado em um castigo por aquela grande época — durante a qual os sacerdotes ainda não existiam. Dos poderosos e *totalmente livres* heróis da história de Israel, fizeram, de acordo com as mutáveis necessidades, ou desgraçados corolas e hipócritas ou homens inteiramente "ímpios". Reduziram todos os grandes acontecimentos a uma fórmula idiota: "obediente ou desobediente a Deus". Deram um passo além: a "vontade de Deus" (em outras palavras: os meios necessários para conservar o poder dos sacerdotes) tinha de ser determinada — e, para isso, precisava-se de uma "revelação". Em linguagem clara, uma gigantesca fraude literária tinha de ser perpetrada, engendrando-se as "escrituras santas" — e assim, com a maior pompa hierárquica, e dias de penitência e muita lamentação pelos longos tempos de "pecado", agora findos, foram elas devidamente publicadas. A "vontade de Deus" ali se mostra firme como a rocha; só o que há é que a humanidade negligenciou as "sagradas escrituras"... Mas a "vontade de Deus" já fora revelada a Moisés... O que aconteceu? Simplesmente isto: o sacerdote formulou, de uma vez por todas e com rigorosa meticulosidade, que dízimos lhe deveriam ser pagos, do maior ao menor (sem esquecer as postas de carne, pois o sacerdote é um grande consumidor de carne); em resumo, tornou conhecido exatamente *o que queria*, qual era a "vontade de Deus"... De então para diante, as coisas foram tão bem-dispostas que o sacerdote se tornou *indispensável em todas as partes*; em todos os grandes acontecimentos naturais da vida, como nascimento, casamento, enfermidade, morte, para não se falar do "*sacrifício*" (isto é, as horas de refeição), o santo parasita aparece, e trata de *desfigurá-los* — Ou, segundo as suas próprias palavras, "santificá-los"... Deve ser, com efeito, notado que cada hábito natural, cada instituição natural (o Estado, a administração da justiça, o casamento, o socorro aos doentes e aos pobres), tudo que é exigido pelo instinto vital, em suma, tudo que tem valor em *si mesmo*, é reduzido ao mais absoluto desvalor e mesmo tornado o *contrário* do valor pelo parasitismo dos sacerdotes (ou, se se achar melhor, pela "ordem moral do mundo"). O fato requer uma sanção — um poder para os *grandes valores* torna-se necessário, e o único meio de criar tais valores é negar a natureza... O sacerdote deprecia e profana a natureza: somente a esse preço ela tem pelo menos o direito de existir. A desobediência a Deus, que na realidade significa para o sacerdote a desobediência "à lei", toma o nome de "pecado"; os meios prescritos para a reconciliação com Deus são, é claro, precisamente os meios que colocam a pessoa mais efetivamente sob o jugo do sacerdote; somente ele pode "salvar"... Considerados psicologicamente, os "pecados" são indispensáveis a toda sociedade organizada em base eclesiástica; constituem a única arma confiável do poder; o sacerdote *vive* à custa dos pecados; é necessário para ele que alguém peque... Primeiro axioma: "Deus perdoa os que se arrependem" — em palavras mais claras: *os que se submetem ao sacerdote.*

27

O cristianismo brotou em um solo tão podre que nele tudo que é natural, tudo que tem valor natural, toda a *realidade*, teve de enfrentar os mais profundos instintos da classe dirigente — travou-se uma espécie de guerra mortal contra a realidade, que, como tal, jamais foi ultrapassada. O "povo santo", que adotara valores sacerdotais e nomes sacerdotais para todas as coisas, e que, com terrível consistência lógica, rejeitara tudo na Terra que fosse "profano", "mundano", "pecaminoso" — esse povo levou o seu instinto a uma fórmula final, lógica até o ponto da autoexterminação: como *cristianismo*, ele realmente negou até mesmo a última forma de realidade, o "povo santo", o "povo escolhido", o próprio *judaísmo*. O fenômeno tem a maior importância: o pequeno movimento insurrecional que tomou o nome de Jesus de Nazaré é simplesmente o instinto judaico redivivo — em outras palavras, é o instinto sacerdotal chegado a tal ponto que nem pode mais admitir o sacerdote como um fato; é a descoberta de um estado de existência ainda mais fantástico do que qualquer outro anterior, de uma visão da vida ainda mais *irreal* do que a necessária a uma organização sacerdotal. O cristianismo na realidade *nega* a igreja...

Não posso determinar contra que alvo se votava a insurreição que se diz ter sido chefiada (certa ou *erroneamente*) por Jesus, se não era a igreja judaica — sendo a palavra "igreja" usada aqui na exata significação que tem hoje. Foi uma insurreição contra os "bons e justos", contra os "profetas de Israel", contra toda a hierarquia da sociedade — não contra a corrupção, mas contra a casta, o privilégio, a ordem, o formalismo. Era a *descrença* nos "homens superiores", um *Não* lançado contra tudo que os sacerdotes e teólogos sustentavam. Mas a hierarquia questionada, pelo menos por um instante, por esse movimento era a estrutura das colunas acima de tudo necessárias para a salvação do povo judeu no meio das "águas" — representava sua *última* possibilidade de sobrevivência; era o resíduo final de sua existência política independente; um ataque contra ela era um ataque contra o mais profundo instinto nacional, a mais poderosa vontade de viver nacional, jamais aparecida na Terra. Aquele anarquista santificado, que incitou o povo do abismo, a ralé e os pecadores, os párias do judaísmo, à revolta contra a ordem de coisas estabelecidas — e em uma linguagem que, se os Evangelhos merecem crédito, hoje o teria mandado para a Sibéria — aquele homem era, sem dúvida, um criminoso político, pelo menos tanto quanto podia ser em uma comunidade tão *absurdamente apolítica*. Foi isso que o levou à cruz: a prova disso pode ser encontrada na inscrição colocada sobre a cruz. Ele morreu por seus próprios pecados — não há a menor base para se acreditar que tenha morrido pelos pecados dos outros.

28

Quanto a saber se ele próprio tinha consciência de suas contradições — se de fato essa foi a única contradição de que tomou conhecimento — isso já é uma questão de todo diferente. Aqui, pela primeira vez, abordo o problema da *psicologia do Salvador*. Antes de mais nada, confesso que a leitura de poucos livros me é mais difícil que a dos Evangelhos. Minhas dificuldades são de todo diferentes daquelas que permitiram à erudita curiosidade da inteligência alemã alcançar um de seus mais memoráveis triunfos. Já vai longe o tempo em que eu, como todos os jovens estudiosos, deleitava-me, com todo o sapiente esforço de um fastidioso filólogo, a obra do incomparável Strauss. Naquele tempo, eu tinha vinte anos; hoje, sou sério demais para esse tipo de coisa. Que me interessam as contradições da "tradição"? Como pode alguém chamar lendas piedosas de "tradições"? As histórias dos santos apresentam a mais duvidosa variedade de literatura existente; examiná-las pelo método científico, *na completa ausência de documentos comprobatórios*, parece-me condenar antecipadamente toda a indagação — trata-se de um vão esforço de erudição...

29

O que me interessa é o tipo psicológico do Salvador. Esse tipo pode estar retratado nos Evangelhos, embora de forma mutilada sobrecarregado de caracteres estranhos — isto é, *a despeito* dos Evangelhos; do mesmo modo que a figura de Francisco de Assis se apresenta em suas lendas, a despeito das lendas. Não se trata de mera prova verdadeira quanto ao que ele fez, ao que disse e à verdadeira maneira como morreu; a questão consiste em saber se seu tipo ainda é concebível, se ele nos foi transmitido. Todas as tentativas que conheço de ler a *história* de uma "alma" nos Evangelhos parecem-me apenas revelar uma lamentável leviandade psicológica. M. Renan, aquele charlatão *in psychologicus*, contribuiu com as duas mais *inverossímeis* noções naquele campo para explicar o tipo de Jesus: a noção do *gênio* e a do herói ("*héros*"). Na verdade, se existe algo essencialmente antievangélico é, sem sombra de dúvida, o conceito do herói. O que os Evangelhos tornam instintivo é precisamente o inverso de toda luta heroica, de todo gosto pelo conflito: a própria incapacidade para a resistência é ali convertida em algo moral ("não resistir ao mal!" — a mais profunda sentença dos Evangelhos, talvez a sua chave verdadeira); a prudência, a bem-aventurança da paz, a mansuetude, a *incapacidade* de ser inimigo. Qual é o sentido de "Boa-nova"? — A vida verdadeira, a vida eterna foi encontrada — não é meramente prometida, está aqui, está em *ti*; é a vida que reside no amor livre de todos os recuos e exclusões, de toda a observância de distâncias. Todos são filhos de Deus — Jesus nada pede para ele somente — como filho de Deus cada homem é igual a todos os outros homens... Imagine-se fazer de Jesus um *herói*! — E um tremendo mal-entendido aparece na palavra "*gênio*"! Toda a concepção do "espiritual", toda a concepção de nossa civilização, não poderia ter sentido no mundo em que Jesus viveu. No rigoroso senso do fisiologista, uma palavra muito diferente deveria aqui ser usada... Todos nós sabemos que há uma sensibilidade mórbida dos nervos tácteis que leva aqueles que a sofrem a fugir de todo contato e de todo esforço para agarrar um objeto sólido. Levado à sua conclusão lógica, tal *habitus* fisiológico torna-se um ódio instintivo a toda a realidade, uma fuga para o "intangível", para o "incompreensível"; uma repulsa a todas as fórmulas, a todas as concepções de tempo e de espaço, a tudo estabelecido — costumes, instituições, a igreja; — a sensação de estar em casa em um mundo no qual não sobrevive qualquer espécie de realidade, um mundo meramente "interior", um mundo "verdadeiro", um mundo "eterno"... O "Reino de Deus está dentro de vós?"...

30

O *ódio instintivo* à *realidade*: a consequência de uma extrema suscetibilidade ao sofrimento e à irritação — tão grande que o simples fato de ser "tocado" se torna insuportável, pois toda sensação é profunda demais.

A instintiva exclusão de toda aversão, de toda hostilidade, de todos os limites e distância nos sentimentos: a consequência de uma extrema suscetibilidade ao sofrimento e à irritação — tão grande que sente toda resistência, toda compulsão à resistência, como uma *angústia* insuportável (quer dizer, como *danoso*, como *proibido* pelo instinto de autopreservação) e considera a bem-aventurança (a alegria) possível apenas quando já não é preciso oferecer resistência a qualquer um ou qualquer coisa, mesmo que represente um mal ou um perigo — o amor, somente ele, como a *suprema* possibilidade de vida...

Essas são as duas *realidades fisiológicas* sobre as quais e das quais brotou a doutrina da salvação. Chamo-as de uma sublime supervalorização do hedonismo plantada em um terreno insalubre. O que se situa mais proximamente relacionado com elas, embora com uma grande mistura de vitalidade grega e força nervosa, é o epicurismo, a teoria de salvação do paganismo. Epicuro era um *típico decadente*: foi o primeiro a reconhecer tal fato. O temor do sofrimento, mesmo do sofrimento infinitamente leve... o fim do qual nada *pode* ser senão uma *religião de amor*...

31

Já dei a minha resposta ao problema. A condição prévia é a presunção de que o tipo do Salvador só pode ser alcançado sob uma forma grandemente desfigurada. Essa desfiguração é muito provável: há muitas razões pela qual um tipo de tal forma não pode se apresentar em uma forma pura, completa e livre de acréscimos. O ambiente no qual essa estranha figura se moveu deve lhe ter deixado marcas, e outras devem ter sido deixadas pela história, o *destino* das primeiras comunidades cristãs; essas últimas, na verdade, devem ter embelecido o tipo retrospectivamente com caracteres que só podem ser compreendidos como a serviço de finalidade de guerra e propaganda. Aquele mundo estranho e doentio ao qual os Evangelhos nos levam — aparentemente um mundo de romance russo, onde temos um encontro marcado com a escória da sociedade, as moléstias nervosas, a idiotice "infantil" — deve, de qualquer modo, ter tornado mais grosseiro o tipo: os primeiros discípulos, em particular, devem ter sido forçados a traduzir uma existência visível somente em símbolos e incompreensões em sua própria crueza, a fim de que pudessem ao menos compreendê-lo — aos seus olhos o tipo só poderia tornar-se realidade depois de reformado em seu molde familiar... O profeta, o messias, o futuro juiz, o mestre de moral, o fazedor de maravilhas, João Batista — todos esses meramente apresentavam possibilidades de deturpá-lo... Finalmente, não subestimemos o *proprium* de toda grande veneração, especialmente de toda veneração sectária: a sua tendência é arrancar dos objetos venerados todos os traços e idiossincrasias originais, muitas vezes tão dolorosamente estranhas — *nem sequer as vê*. É muito de se lamentar que nenhum Dostoievski vivesse nas vizinhanças daquele interessantíssimo *décadent* — quero dizer, alguém que tivesse sentido o pungente encanto de uma tal composição de sublime, de mórbido e de pueril. Em última análise, o tipo, como o tipo da decadência, pode ter sido de fato peculiarmente complexo e contraditório; tal possibilidade não pode ser perdida de vista. Não obstante, é mais provável que não tenha sido esse o caso, pois, se o fosse, a tradição teria sido particularmente precisa e objetiva, ao passo que temos razões para presumir o contrário. Ao mesmo tempo, há uma contradição entre o pacífico pregador da montanha, da praia e dos campos, que aparece como um novo Buda em um solo muito diferente do da Índia, e o fanático agressivo, o inimigo mortal dos teólogos e sacerdotes, glorificado pela malícia de Renan como "*le grand maître en ironie*". Quanto a mim, não tenho a menor dúvida de que a maior parte desse veneno (e não menos do *esprit*) só entrou no conceito do Mestre como resultado da exaltada natureza da propaganda cristã; todos nós conhecemos a falta de escrúpulo dos sectários quando tratam de transformar seu chefe em uma apologia para eles próprios. Quando os cristãos primitivos precisavam de um teólogo direto, litigioso, combativo e maliciosamente sutil para enfrentar outros teólogos, criavam um "deus" satisfazendo tais necessidades, do mesmo modo em que punham em sua boca, sem hesitação, certas ideias que lhes eram necessárias mas que estavam em franco desacordo com os Evangelhos: "o segundo advento", "o juízo final", toda a sorte de expectativas e promessas, correntes no tempo.

32

Só posso repetir que me coloco contra todos os esforços para se introduzir o fanático na figura do Salvador; a própria palavra *imperiéux*, usada por Renan, é suficiente para *anular o* tipo. O que "a Boa-nova" nos diz é simplesmente que não há mais contradições; o reino do céu pertence às *crianças*; a fé aqui proclamada já não é uma fé belicosa — está à mão, tem estado desde o começo, é uma espécie de recrudescência infantil do espírito. O recrudescimento infantil do espírito. Os fisiologistas, em todo o caso, estão familiarizados com essa puberdade atrasada e incompleta no organismo vivo, resultado da degeneração. Uma fé dessa espécie não é furiosa, não denuncia, não se defende: não vem com "a espada" — não compreende como ela irá um dia lançar o homem contra o homem. Ela não se manifesta por milagres, por promessa e recompensas, ou por "escrituras": é ela própria, primeira e última, seu próprio milagre, sua promessa, sua recompensa, seu "reino de Deus". Essa fé não se formula — *vive* simplesmente, e assim se protege contra as fórmulas. Na verdade, o acidente do meio, dos antecedentes educacionais, dá-lhe uma proeminência de conceitos de uma certa sorte: no cristianismo primitivo, encontraram-se apenas conceitos de caráter judaico-semítico (o de comer e beber na última ceia pertence a essa categoria — uma ideia que, como tudo mais judaico, tem sido seriamente maltratada pela igreja). Tenhamos, porém, o cuidado de não ver em tudo isso algo mais que uma linguagem simbólica, uma oportunidade semântica de falar por parábolas. Somente com base na teoria de que nenhuma obra deve ser encarada literalmente é que aquele antirrealista pode falar. Se estivesse entre os hindus, ele teria se utilizado dos conceitos de Sankhya, e entre os chineses teria empregado os de Lao-tsé — e em nenhum caso haveria diferença para ele. Com um pouco de liberdade no uso das palavras, poderíamos realmente considerar Jesus um "espírito livre" — ele não dá importância ao que está estabelecido: a palavra *killeth*, a estrita observância da lei, sempre que seja o *killeth* estabelecido. A ideia de "vida" como uma *experiência*, tal como ele só a concebe, opõe-se em seu espírito a toda a sorte de palavras, fórmulas, leis, crença ou dogma. Ele fala apenas de coisas interiores: "vida" ou "verdade" ou "luz" em sua designação do mais profundo; aos seus olhos, tudo mais, toda a realidade, toda a natureza, mesmo a linguagem, só tem significação como um sinal, como uma alegoria. A esse respeito, é da maior importância não sermos induzidos a erro pelas tentações incutidas nos preconceitos cristãos, ou melhor, *eclesiásticos*: tal simbolismo *par excellence* fica fora de toda religião, de todas as noções de culto, de toda a história, de toda a ciência natural, de toda experiência mundana, todo o conhecimento, toda a política, toda a psicologia, todos os livros, toda a arte — sua "sabedoria" consiste precisamente na pura ignorância de todas essas coisas. Ele jamais ouviu falar em *cultura*; não a teria combatido — nem sequer a negaria... O mesmo pode ser dito do Estado, de toda a ordem social burguesa, do trabalho, da guerra — ele não tem base para negar "o mundo", pois nada conhece do conceito eclesiástico de "o mundo"... *A negativa* é justamente o que lhe é impossível. Da mesma maneira que lhe falta capacidade de argumentação, não acredita que um artigo de fé, uma "verdade", possa ser estabelecida por meio de provas (suas provas são "luzes" interiores, sensações subjetivas de felicidade e autoaprovação, simples "provas de poder"). Tal doutrina *não pode* contradizer: não sabe se existem outras doutrinas, ou possam existir, e é totalmente incapaz de imaginar algo que a ela seja oposto... Se algo de tal sorte é encontrado, ele lamenta a "cegueira" com sincera simpatia — pois somente ele tem a "luz" — mas não lhe oferece objeções.

33

Falta, em toda a psicologia dos "Evangelhos", os conceitos de culpa e castigo, do mesmo modo que o da recompensa. "O pecado", que significa tudo que separa Deus e o homem, é abolido — essa é *precisamente a "Boa-nova"*. A bem-aventurança eterna não é meramente prometida, nem outorgada sob condições: é concebida como *a única* realidade — o que resta não passa de sinais úteis para se falar a seu respeito.

Os *resultados* de tal ponto de vista projetam-se em um novo *estilo de vida*, o estilo de vida evangélico. Não é uma "crença" que marca o cristão; ele se distingue por um modo de agir diferente; ele age *diferentemente*. Não oferece resistência, quer pela palavra, quer no coração, aos que se voltam contra ele. Não faz diferença entre estrangeiros e compatriotas, entre judeus e gentios ("próximo", naturalmente, significa o irmão de crença, o judeu). Não odeia ninguém, nem despreza ninguém. Não recorre às cortes de justiça nem dá atenção às suas decisões ("de maneira alguma jureis"), jamais, em qualquer circunstância, se divorcia de sua esposa, mesmo quando tem provas de sua infidelidade. E sob tudo isso, ha um só princípio; tudo vem do instinto.

A vida do Salvador consistiu simplesmente em levar avante esse estilo de vida — e assim também foi a sua morte... Ele já não precisava de qualquer fórmula ou ritual em suas relações com Deus — nem mesmo a prece. Havia rejeitado toda a doutrina do arrependimento e da expiação; *sabia* que somente por um *estilo* de vida alguém pode se sentir "divino", "abençoado", "evangélico", "filho de Deus". *Não* pelo "arrependimento", *não* "pela prece e pelo perdão" é o caminho para Deus: somente o *caminho do Evangelho* leva a Deus — ele *próprio* é "Deus"! — O que os Evangelhos aboliram foi o judaísmo em seus conceitos de "pecado", "perdão dos pecados", "fé", "salvação pela fé" — todo o dogma *eclesiástico* dos judeus foi negado pela "Boa-nova".

O profundo instinto que leva o cristão a *viver* de modo que se sinta que está "no céu" e é "imortal", apesar de muitas razões para saber que *não* está no céu, eis a única realidade psicológica na "salvação". Um novo estudo de vida, não uma nova fé...

34

Se entendo alguma coisa a respeito daquele grande simbolista, é isto: que ele considerava apenas as realidades subjetivas como realidades, como "verdades", e via tudo mais, tudo que é natural, temporal, espacial e histórico, meramente como sinais, como material para parábolas. O conceito "filho de Deus" não conceitua uma personagem concreta na história, um indivíduo isolado e definitivo, mas um fato "eterno", um símbolo psicológico despido do conceito de tempo. O mesmo acontece, e em um sentido mais alto, com o Deus daquele típico simbolista, com o "Reino de Deus" e a "qualidade de filho de Deus". Nada podia ser mais anticristão do que as noções *cruamente eclesiásticas* de Deus como *pessoa*, de um "reino de Deus" que virá, de um "reino do céu" no além e de um "filho de Deus" como segunda pessoa da Trindade. Tudo isso — se me permitem a expressão — é como dar um murro no olho (e que olho!) dos Evangelhos: um desrespeito aos símbolos que corresponde a um *cinismo histórico-mundial*... É, porém, de qualquer modo evidente o que se quer dizer pelos símbolos "Pai" e "Filho" — não, evidentemente, para qualquer um: a palavra "Filho" expressa a *admissão* no sentimento de que há uma transformação geral de todas as coisas (beatitude), e "Pai" expressa *aquele próprio sentimento* — a sensação de eternidade e perfeição. Sinto vergonha de vos lembrar o que a igreja fez desse simbolismo: não se armou um caso de Anfitrião no limiar da "fé" cristã? E um dogma da "imaculada conceição" ainda por cima?... *E assim a concepção foi privada de sua pureza imaculada*...

O "reino do céu" é um estado de espírito — não algo que virá "além do mundo" ou "depois da morte". Toda a ideia da morte natural está ausente dos Evangelhos; a morte não é uma ponte, não é uma passagem; está ausente porque pertence a um mundo de todo diferente, meramente aparente, interessante apenas como um símbolo. A "hora da nossa morte" não é uma ideia cristã; "horas", tempo, a vida física e as crises não existem para o portador da "Boa-nova"... O "reino do céu" não é algo que os homens devam esperar: ele não tem ontem nem depois de amanhã, não chegará a um "milênio" — é uma experiência do coração, está em toda a parte e não está em parte alguma...

35

O "portador da Boa-nova" morreu como vivera e ensinou — não a "salvar a humanidade" e sim para mostrar à humanidade como viver. Era um *estilo de vida* que ele apresentava ao homem: seu comportamento diante dos juízes, diante das autoridades, diante dos acusadores — seu comportamento na cruz. Não resiste; não defende os seus direitos; não se esforça para afastar a penalidade extrema — mais do que isso, *provoca-a*... E reza, sofre e ama *com* aqueles, *em* aqueles que o maltratam... Não se defender, não denotar ira, não se queixar... Ao contrário, submeter-se mesmo ao Mal — *amá-lo*...

36

Nós, os espíritos *livres*, fomos os primeiros a dispor de uma condição prévia para compreendermos o que dezenove séculos não tinham compreendido: aquele instinto e paixão pela integridade que combate a "mentira sagrada" ainda mais que as outras mentiras... A humanidade era indizivelmente distante de nossa benevolente e cautelosa neutralidade, da disciplina de espírito que é a única que torna possível a solução de coisas tão estranhas e sutis; o que os homens sempre ali procuraram, com despudorado egoísmo, foi a sua *própria* vantagem; criaram a *igreja* com a negação dos Evangelhos...

Todo aquele que procurasse sinais da irônica mão da divindade no grande drama da existência encontraria não pequena indicação a respeito do estupendo símbolo do equívoco que se chama cristianismo. Encontraria a humanidade devendo se ajoelhar diante da própria antítese do que foi a origem, a significação e a lei dos Evangelhos; encontraria que, no conceito de "igreja", devem ser consideradas sagradas as próprias coisas que o "portador da Boa-nova" considerava como *abaixo* dele e *atrás* dele; seria impossível ultrapassar esse exemplo de *ironia histórico-mundial.*

37

— A nossa idade sente-se orgulhosa de seu senso histórico; como, então, pode se iludir, acreditando na *grosseira fábula do fazedor de milagres e Salvador*, constituída no começo do cristianismo — e em tudo mais espiritual e simbólico que se seguiu? Muito ao contrário, toda a história do cristianismo — a partir da morte na cruz — é a história de um mal-entendido, progressivamente mais sério, de um simbolismo *original.* Com a expansão do cristianismo entre as camadas mais amplas e mais rudes, ainda menos capazes de compreender os princípios que lhe deram nascimento, surgiu a necessidade de torná-lo ainda mais *vulgar* e *bárbaro*: o cristianismo absorveu os ensinamentos e ritos de todos os cultos *subterrâneos* do *Imperium Romanum*, e os absurdos engendrados por toda a sorte de raciocínios malsãos. Foi destino do cristianismo que a sua fé se tornasse tão malsã, tão baixa e tão vulgar quanto eram malsãs, baixas e vulgares as necessidades daqueles a que se destinava. Um *barbarismo malsão* afinal subiu ao poder como a igreja — a igreja, essa encarnação de hostilidade mortal a toda a honestidade, a toda elevação da alma, a toda disciplina do espírito, a toda a humanidade espontânea e amável. Valores *cristãos* — valores *nobres*: somente nós, espíritos livres, restabelecemos essa maior de todas as antíteses em valores!...

38

Não posso, neste lugar, evitar um suspiro. Há dias em que sou visitado por um sentimento mais negro do que a mais negra melancolia: o *desprezo pelo homem*. Que eu não tenha dúvida acerca do *que* desprezo, de *quem* desprezo: é o homem de hoje, o homem infelizmente meu contemporâneo. O homem de hoje — sou sufocado por sua fétida respiração!... Para com o passado, como para com tudo que compreendo, tenho plena tolerância, quer dizer, generoso *autodomínio*: com melancólica precaução passo por todos os milênios desse hospício de um mundo, chamado "cristianismo", "fé cristã" ou "igreja cristã", à vontade — tenho o cuidado de não tornar a humanidade responsável por suas loucuras. Meu sentimento, porém, muda e se rompe irresistivelmente no momento em que entro nos tempos modernos, em nosso tempo. Nossa época *sabe melhor*... O que era antes apenas malsão torna-se indecente — é indecente ser cristão atualmente. *E aí começa o meu desgosto*. Olho em torno de mim: nem uma só palavra sobrevive do que foi chamado outrora de "verdade"; já não podemos tolerar ouvir um sacerdote pronunciar a palavra. Mesmo um homem que tem a mais modesta pretensão à integridade *deve* saber que um teólogo, um padre, um papa de hoje, não somente erra, quando fala, mas na realidade *mente* — e desse modo não mais escapa à censura de mentir por "inocência" ou "ignorância". O padre sabe, como todo o mundo sabe, que já não há qualquer "Deus", qualquer "pecador" ou qualquer "Salvador", que "livre-arbítrio" e "ordem moral do mundo" não passam de mentiras: a reflexão séria, a profunda autoconquista do espírito, não permite a qualquer homem fingir que não saiba disso... *Todas* as ideias da igreja são reconhecidas hoje pelo que são, como as piores falsificações existentes, inventadas para degradar a natureza e os valores naturais; o próprio sacerdote é visto como realmente é — como a mais perigosa forma de parasita, como a aranha peçonhenta da criação... Sabemos, a nossa consciência sabe hoje, muito bem, *qual é* o valor real de todas aquelas sinistras invenções do sacerdote e da igreja e *para que finalidade têm servido*, com a sua degradação da humanidade para um estado de autopoluição, cuja simples vista provoca náusea: os conceitos de "o outro mundo", "o juízo final", "a imortalidade da alma", da "alma" em si mesma; são eles simplesmente outros tantos instrumentos de tortura, sistemas de crueldade, graças aos quais o sacerdote torna-se o senhor e permanece o senhor... Todos sabem disso, e, *no entanto, as coisas continuam como dantes*. O que foi feito do último sinal de sentimento decente, de respeito a si mesmo, quando os nossos estadistas, sob outros aspectos uma classe não convencional de homens e inteiramente anticristã em seus atos, se dizem cristãos, e frequentam a mesa da comunhão?... Um príncipe à testa de seus exércitos, magnífico como a expressão do egoísmo e da arrogância de seu povo, e, no entanto, reconhecendo, sem o menor pudor, que é cristão!... Quem, então, negará o cristianismo? *O que* se chama "o mundo"? Ser *soldado*, ser juiz, ser patriota; defender-se; cuidar de sua honra; desejar o seu próprio benefício; ser *orgulhoso*... todos os atos da vida quotidiana, todo o instinto, toda a avaliação de como se mostrar em uma ação, tudo isso é agora anticristão; que monstro de *falsidade* o homem moderno tem de ser para, não obstante, e sem pudor, se chamar de cristão!

39

Recuarei um pouco, e vos direi a história *autêntica* do cristianismo. A própria expressão "cristianismo" é um mal-entendido — no fundo, só houve um cristão, e ele morreu na cruz. Os "Evangelhos" *terminaram* na cruz. O que, de então para diante, foi chamado de "Evangelho" constitui exatamente o inverso do que ele vivera: a "nova má", um *Dysangelium*. Foi um erro próximo da asneira ver na "fé", e particularmente na fé na salvação através de Cristo, a marca distintiva do cristão: somente o *estilo de vida* cristão, a vida *vivida* por aquele que morreu na cruz, é cristão... Até hoje tal vida é possível, e, para certos homens, mesmo necessária: o cristianismo legítimo, primitivo, permanecerá em todas as idades... Não fé, mas atos; acima de tudo, uma *evitação* de atos, um estado de ser diferente... Estados de consciência, fé de um certo tipo, a aceitação, por exemplo, de tudo como verdadeiro — como todo psicólogo sabe, o valor dessas coisas é perfeitamente indiferente e comparável ao dos instintos: estritamente falando, todo o conceito da causalidade intelectual é falso. Reduzir o cristão, o estado de cristianismo, a uma aceitação da verdade, a um mero fenômeno de consciência, é formular a negação do cristianismo. De fato, *não há cristãos*. O "cristão" — aquele que durante dois mil anos passou por cristão — é simplesmente uma ilusão psicológica. Atentamente examinado, ver-se-á que, a despeito de toda a sua "fé", ele tem sido governado *apenas* por dois instintos — e que instintos!

Em todos os tempos — por exemplo, no caso de Lutero — a "fé" não tem passado de um manto, um fingimento, uma *cortina* atrás da qual os instintos fizeram o seu jogo — uma astuciosa *cegueira* para o domínio de certos instintos... Já chamei "fé" a forma especialmente cristã de *astúcia* — as pessoas sempre *falam* em sua "fé" e *agem* de acordo com seus instintos... No mundo de ideias do cristão nada há que tanto atinja a realidade; ao contrário, reconhece-se um instintivo *ódio* à realidade como motivo de poder, o único motivo de poder no fundo do cristianismo. O que se deduz disso? Que mesmo aqui, em *psychologicis*, há um erro radical, nos princípios fundamentais condicionantes, quer dizer, um erro em *substância*. Tirai uma ideia e colocai em seu lugar uma legítima realidade — e todo o cristianismo desmoronará, arruinado! Examinando-se calmamente, esse mais estranho de todos os fenômenos, uma religião não *somente* dependendo de erros, mas somente inventiva e engenhosa criando erros prejudiciais, nocivos à vida e ao coração, isso é na verdade um espetáculo para os *deuses*, para aqueles deuses que também são filósofos, e que encontrei, por exemplo, nos famosos diálogos de Naxos. No momento em que o asco os deixar (e nos deixar também!), eles apreciarão o espetáculo oferecido pelos cristãos; talvez só por causa dessa curiosa exibição o infeliz planetinha chamado Terra mereça um olhar do onipotente, uma amostra de interesse divino... Não subestimemos, pois, os cristãos: o cristão, falso *até o ponto da inocência*, está muito acima do macaco — aplicada aos cristãos, uma conhecida teoria da descendência se torna uma simples peça de polidez...

40

O destino dos Evangelhos foi decidido pela morte — morreu na "cruz"... Foi somente a morte, aquela morte inesperada e ultrajante; foi somente a cruz, que em via de regra só estava reservada para a canalha, foi apenas esse aterrador paradoxo que colocou os discípulos diante do enigma real: "*Quem era? O que era?*" O sentimento de desânimo, de profunda afronta e ultraje; a suspeita de que tal morte poderia significar uma refutação de sua causa; a terrível pergunta: "Por que exatamente dessa maneira?" — é mais do que fácil compreender esse estado de espírito. Aqui, tudo tem de ser tido como necessário; tudo tem de ter um sentido, uma razão, a mais alta espécie de razão; o amor de um discípulo exclui todo acaso. Somente então entreabriu-se o abismo da dúvida: "Quem o matou? Quem era seu inimigo natural?" Essa pergunta flamejou como um raio. Resposta: o judaísmo dominante, a sua classe dirigente. A partir desse momento, cada um sentiu o seu ser *revoltado contra a ordem estabelecida*. Até então, faltara-lhe no caráter esse elemento militante, capaz de dizer não, de não fazer; mais do que isso, aparecera para apresentar o seu oposto.

Sem sombra de dúvida, a pequena comunidade não compreendeu o que era precisamente a coisa mais importante de todas: o exemplo oferecido por aquela maneira de morrer, a liberdade e superioridade a todo sentimento de *ressentimento* — uma completa explicação de quão pouco ele foi compreendido! Tudo que Jesus podia esperar conseguir com a sua morte, em si mesma, foi oferecer a mais forte prova possível, ou *exemplo*, de seus ensinamentos da maneira mais pública... Seus discípulos, porém, estavam muito longe de *perdoar* sua morte — embora, se assim tivessem feito, concordariam com os Evangelhos no mais alto grau; e nem estavam eles dispostos a *se oferecerem*, com gentil e serena tranquilidade no coração, a semelhante morte... Ao contrário, o que então os dominou foi o menos evangélico dos sentimentos, a *vingança*. Parecia impossível que a causa fosse perecer com a sua morte: tornavam-se necessários a "recompensa" e o "julgamento" (no entanto, o que poderia ser menos evangélico do que a "recompensa", o "castigo" e o "juízo"?). Mais uma vez surgiu no primeiro plano a crença popular no advento de um messias; a atenção se voltou para um momento histórico: o "reino de Deus" viria, com o julgamento de seus inimigos... Tudo isso, porém, redundava em um completo disparate: imagine-se o "reino de Deus" vindo no fim, como mera promessa! Os Evangelhos foram, de fato, a encarnação, o cumprimento, a concretização desse "reino de Deus". Foi somente então que todo o seu conhecido desprezo e hostilidade para com os fariseus e os teólogos começaram a aparecer no caráter do Mestre — ele próprio se tornou fariseu e teólogo! Por outro lado, a selvagem veneração daquelas almas completamente desequilibradas já não suportava a doutrina evangélica, ensinada por Jesus, do igual direito de todos os homens serem filhos de Deus: sua vingança assumiu a forma de *elevação* de Jesus, de uma maneira extravagante, assim o separando deles próprios; da mesma maneira que, nos tempos antigos, os judeus, para se vingarem de seus inimigos, separaram-se de seu Deus e o colocaram em grande altura. O Deus Único e o Filho de Deus Unigênito: ambos produtos do *ressentimento*...

41

E daquele tempo para cá, apresentou-se um problema absurdo: "como Deus teria permitido aquilo?" À pergunta, a conturbada razão da pequena comunidade formulou uma resposta aterradora em sua estupidez: Deus ofereceu seu filho em *sacrifício* para o perdão dos pecados. Imediatamente surgiu uma finalidade dos evangelhos! Sacrifício pelo pecado, e em sua forma mais odiosa e mais bárbara: sacrifício de um *inocente* pelos pecados dos culpados! Que apavorante paganismo! O próprio Jesus pusera de lado o conceito de "culpa", negara haver qualquer abismo separando o homem de Deus; ele *viveu* essa unidade entre Deus e o homem, e essa foi precisamente a sua "Boa-nova"... E não como mero privilégio! — A partir de então, o tipo do Salvador foi corrompido, pedaço a pedaço, pela doutrina do juízo final e do segundo advento; pela doutrina da morte como sacrifício; pela doutrina da *ressurreição*, mercê da qual todo o inteiro conceito de "beatitude", toda e única realidade dos Evangelhos, é posto de parte, em favor de um estado da existência após a morte!... São Paulo, com a rabínica impudência que mostra em todas as suas ações, atribuiu uma qualidade lógica àquela concepção, àquela *indecente* concepção, desta maneira: "Se Cristo não se levantar dos mortos, então é vã toda a nossa fé!" Imediatamente surgiu dos Evangelhos a mais desprezível de todas as promessas não cumpridas, a *vergonhosa* doutrina da imortalidade pessoal... O próprio Paulo a pregou como uma recompensa.

42

Começa-se a ver agora o que chegou ao fim com a morte na cruz: um novo e inteiramente original esforço de fundar um movimento de paz budística, e assim estabelecer a *felicidade na Terra* — real, não meramente prometida. Essa permanece — como já salientei — a diferença essencial entre as duas religiões da decadência: o budismo nada promete, mas oferece na realidade; o cristianismo promete tudo, mas *nada oferece*. Logo atrás da "Boa-nova" veio a pior possível: a de Paulo. Em Paulo está encarnado o exatamente oposto ao "portador da Boa-nova"; ele representa o gênio para o ódio, a visão do ódio, a incansável lógica do ódio. O que, na verdade, aquele antievangelista não sacrificou ao ódio? Acima de tudo, sacrificou o Salvador; pregou-o em *sua própria cruz*. A vida, o exemplo, os ensinamentos, a morte de Cristo, o sentido e a lei de todo o Evangelho, nada de tudo isso foi deixado depois que aquele falsário do ódio refez para seu uso. Certamente não foi a realidade; certamente não foi a verdade histórica!... Mais uma vez, o instinto sacerdotal dos judeus perpetrou o mesmo e antigo crime capital contra a história — simplesmente eliminou o ontem e o anteontem do cristianismo, e *inventou a sua própria história do começo do cristianismo*. Indo além, introduziu outra falsificação na história de Israel, de maneira que se tornasse um mero prólogo de sua consecução: todos os profetas, viu-se agora, referiam-se ao seu "Salvador"... Mais tarde, a igreja chegou mesmo a falsificar a história do homem, a fim de torná-la um prólogo do cristianismo... A figura do Salvador, seus ensinamentos, seu estilo de vida, sua morte, a significação de sua morte, mesmo as consequências da morte, coisa alguma permaneceu intacta, coisa alguma permaneceu tendo contato, ainda que leve, com a realidade. Paulo simplesmente desviou o centro de gravidade de toda aquela vida para um lugar *além* desta existência — na *mentira* de Jesus "ressuscitado". No fundo, ele não tinha como usar a vida do Salvador — do que precisava era de sua morte na cruz, e algo mais. Constituiria uma perfeita *niaiserie* por parte de um psicólogo ver algo de honesto em um homem como Paulo, que vivia no centro da sabedoria estoica, quando converteu uma alucinação em *prova* da ressurreição do Salvador, ou mesmo acreditar em sua afirmativa de que ele próprio sofreu uma alucinação. Paulo determinou a finalidade; *portanto*, também determinou os meios... Aquilo em que ele próprio não acreditava era engolido prontamente pelos idiotas entre os quais ele espalhava os seus ensinamentos. O que ele queria era o poder; em Paulo, o sacerdote mais uma vez esforçava-se para alcançar o poder — ele usou apenas conceitos, ensinamentos e símbolos que servissem aos propósitos de dominar as massas e organizar as turbas. *Qual foi* a única parte do cristianismo que Maomé tomou emprestada mais tarde? A invenção de Paulo, seu dispositivo para estabelecer a tirania sacerdotal e organizar as turbas: a crença na imortalidade da alma — *quer dizer, a doutrina do "juízo"*...

43

Quando o centro de gravidade da vida é, coloco, *não* na própria vida, mas no "além" — no *nada* — então também o homem altera o seu centro de gravidade. A grande mentira da imortalidade pessoal destrói toda a razão, todo o instinto natural — em consequência tudo nos instintos que é benéfico, que estimula a vida e as salvaguardas do futuro, tudo isso se torna um motivo de suspeita. Assim, viver esta vida já não tem sentido: *aquilo* se torna, então, o "sentido" da vida... Para que ter espírito público? Para que ter orgulho na prole ou nos antepassados? Para que os homens trabalharem juntos, confiarem uns nos outros, ou se preocuparem com o bem-estar comum ou procurarem servi-lo?... Tudo isso não passava de outras tantas "tentações", outros tantos extravios do "caminho certo". "Somente uma coisa é necessária"... Que todo homem, porque tem uma "alma imortal", valha tanto como qualquer outro homem; que no infinito universo das coisas, a "salvação" de cada indivíduo tenha direito a uma esperança eterna; que os carolas insignificantes e os mentecaptos possam presumir que as leis naturais são constantemente *suspensas* em seu benefício — é impossível manifestar-se todo o desprezo que merece essa manifestação de egoísmo levado ao infinito, à *insolência*. E, no entanto, o cristianismo tem de agradecer precisamente a essa miserável exaltação da vaidade pessoal pelo seu *triunfo*: foi assim que ele atraiu para o seu lado todos os falhados, os insatisfeitos, os tombados sob os males quotidianos, toda a escória social. A "salvação da alma" — em palavras claras: "o mundo gira em torno de mim"... A venenosa doutrina "Direitos *iguais* para todos" foi propagada como um princípio cristão: dos antros secretos dos maus instintos, o cristianismo lançou uma guerra mortal contra todos os sentimentos de reverência e distanciamento entre o homem e o homem, quer dizer, contra a primeira condição prévia de cada passo para diante, de cada progresso da civilização; do ressentimento das massas ele forjou suas principais armas contra *nós*, contra tudo nobre, alegre e elevado na Terra, contra a nossa felicidade na Terra... Assegurar "imortalidade" a cada Pedro e a cada Paulo constituiu o maior, o mais revoltante ultraje jamais perpetrado contra a humanidade nobre. E não subestimemos a fatal influência que o cristianismo exerceu sobre a política! Hoje em diante, ninguém tem mais coragem de proclamar direitos especiais, o direito do domínio, os sentimentos de honroso orgulho em si mesmo e em seus iguais, o *pathos do distanciamento*... A nossa política é repulsiva por sua falta de coragem! A atitude aristocrática do espírito foi solapada pela mentira de igualdade das almas; e se a crença nos "privilégios da maioria" faz e *continuará a fazer* revoluções — é o cristianismo, não duvidemos, e são os valores cristãos que convertem cada revolução em um carnaval de sangue e de crime! O cristianismo é uma revolta de todas as criaturas que rastejam no chão contra tudo que é *alto*: o evangelho dos *mais baixos* "inferiores"...

44

Os Evangelhos são de valor incalculável como prova da corrupção que já grassava *dentro* da comunidade primitiva. Aquilo que Paulo, com a cínica lógica de um rabino, mais tarde levou a uma conclusão era, de início, meramente um processo de decomposição que começara com a morte do Salvador. Aqueles Evangelhos não podem ser lidos com excessiva atenção; as dificuldades surgem a cada palavra. Na minha opinião — espero que isso não seja usado contra mim — é precisamente por essa razão que eles dão tanta alegria a um psicólogo: como o *oposto* de todo à corrupção meramente ingênua, com um requinte por excelência, como um triunfo artístico na corrupção psicológica. Os Evangelhos, de fato, estão sozinhos. A Bíblia, como um todo, não pode ser comparada com eles. Aqui estamos entre judeus; é a primeira coisa que devemos ter em mente para não perdermos o fio da meada. Esse gênio positivo para evocar uma ilusão de "santidade" pessoal inigualável, quer nos livros, quer pelos homens; essa elevação da fraude em palavras e atitudes ao nível de uma *arte* — tudo isso não é um acidente devido ao ocasional talento de um indivíduo, ou a uma violação da natureza. A responsável é a raça. Todo o judaísmo aparece no cristianismo como a arte de engendrar mentiras santas e, depois de muitos séculos de zelosa educação judaica e decidida prática da técnica judaica, tal arte alcança o estágio da maestria. O cristão, essa *ultima ratio* da mentira, é o judeu completo de novo — é o *triplo* do judeu... Fundamentalmente, ele só utilizará conceitos, símbolos e atitudes suscetíveis de se ajustarem à prática sacerdotal, o instintivo repúdio a todas as *outras* maneiras de pensar e a todos os outros métodos de estimar valores e vantagens; não se trata apenas de tradição, mas é uma *herança*: somente como herança tal coisa é capaz de atuar como uma força da natureza. Toda a humanidade, mesmo as maiores inteligências nos melhores tempos (com uma exceção talvez dificilmente humana), se deixou iludir. Os Evangelhos devem ser lidos como um *livro de inocência*... certamente uma indicação nada desprezível da habilidade com que se armou o ardil. Naturalmente, se pudéssemos de fato ver aqueles espantosos carolas e santarrões, ainda que só por um instante, a farsa chegaria ao fim — e é precisamente porque não consigo ler uma palavra deles sem ver a sua atitude que os deixo de lado... Simplesmente não suporto o modo que eles têm de revirar os olhos. Para a maioria, felizmente, os livros não passam de mera literatura. Não divaguemos: eles dizem "não julgueis" e, no entanto, condenam ao inferno todo aquele que aparece em seu caminho. Deixando Deus julgar, eles próprios se julgam; glorificando Deus, glorificam a si mesmos; querendo que todos mostrem as mesmas virtudes que lhes acontece ter — mais ainda: que *devem* ter, a fim de permanecerem no alto — eles tomam a pose de homens lutando em prol da virtude, de homens empenhados em uma guerra para que a virtude possa prevalecer. "Vivemos, morremos, sacrificamo-nos para o bem ("a verdade", "a luz", "o reino de Deus"); na realidade, eles simplesmente fazem o que não podem deixar de fazer. Forçados, como hipócritas, a serem furtivos, a se esconderem nos cantos, a deslizarem nas sombras, convertem sua necessidade em um dever; é ao dever que atribuem sua vida de humildade, e a humildade torna-se meramente mais uma prova de sua piedade... ah, que humilde, casta, caridosa espécie de fraude! "A própria virtude nos servirá de testemunha"... Podemos ler os Evangelhos como livros de sedução *moral*: aquela gentinha se agarra à moralidade — sabe como usar a moralidade! A moralidade é o melhor de todos os instrumentos para levar a humanidade pelo cabresto! — O fato é que a consciente presunção dos escolhidos se disfarça como modéstia: é dessa maneira que eles, a "comunidade", os "bons e justos", se colocam, de uma vez para sempre de um lado, o lado da "verdade" — e o resto da humanidade, "o mundo", no outro lado... Nisso observamos a mais fatal espécie de megalomania que a Terra jamais viu: abortos de carolas e mentirosos começam a reclamar direitos exclusivos sobre os conceitos de "Deus", "a verdade", "a luz", "o espírito", "amor", "sabedoria" e "vida", como se tais fossem sinônimos de suas próprias pessoas e, com isso, procuram se situar fora do "mundo". Superjudeuzinhos maduros para algum hospício, viram os valores de cabeça para baixo, a fim de encontrarem as suas noções, exatamente como se cristão fosse a significação, o sal da Terra, o padrão e mesmo o *juízo final* de todo o resto... Todo o desastre só se tornou possível pelo fato de já haver existido no mundo uma megalomania semelhante, aliada a uma megalomania quanto à raça, isto é, o judeu; quando começou a alargar-se a separação entre judeus e judeus-cristãos, os últimos não tiveram outra alternativa senão empregarem as medidas de autopreservação que o instinto judaico inventara, mesmo *contra* os próprios judeus, ao passo que os judeus as tinham empregado apenas contra os não judeus. O cristão é apenas um judeu da confissão "reformada".

45

Ofereço alguns poucos exemplos do tipo de coisas que aquela gentinha pôs em suas cabeças, *o que pôs na boca de seu Mestre*: um perfeito credo de "belas almas".

"E quando alguns vos não receberem, nem vos ouvirem, saindo dali, sacudi o pó que estiver debaixo dos vossos pés, em testemunho para com eles. Em verdade vos digo que haverá mais tolerância no dia do juízo para Sodoma e Gomorra do que para os daquela cidade." (Marcos 7,11) Como é *evangélico*!...

"E, se o teu olho te escandalizar, lança-o fora; melhor te é entrar no reino de Deus com um olho do que, tendo dois olhos, ser lançado no fogo do inferno; onde o verme não morre, e o fogo nunca se apaga." (Marcos 9,47) Não é exatamente ao olho que é feita a referência...

"Em verdade vos digo que, dos que aqui estão, alguns há que não provarão a morte até que vejam vir o reino de Deus com poder." (Marcos 9,1) — Bem-mentido, leão!...

"Se alguém quiser vir após mim, negue-se a si mesmo, e tome a sua cruz e siga-me. *Porque*..." (*Nota de um psicólogo*: A moralidade cristã é refutada com esse *porque*: suas razões lhe são contrárias; isso faz um cristão.) (Marcos 8,34)

"Não julgueis para que não sejais julgados, porque com o juízo com que julgardes sereis julgados." (Mateus 7,1) — Que noção de justiça, de um juiz "justo"!...

"Pois, se amardes os que vos amam, que galardão havereis? Não fazem os publicanos também o mesmo? E se saudardes unicamente os vossos irmãos, que fazeis de mais? Não fazem os publicanos também assim?" (Mateus 5,47) — Princípio do amor cristão: faz questão de ser bem-pago no fim...

"Se, porém, não perdoardes aos homens as suas ofensas, também vosso Pai não perdoará as vossas ofensas." (Mateus 6,15) — Muito comprometedor para o referido "pai"...

"Mas buscai primeiro o reino de Deus, e a sua justiça, e todas essas coisas vos serão acrescentadas." (Mateus 6,33) — Todas essas coisas, a saber: alimentação, roupas, tudo o necessário para a vida. Um *equívoco*, para não dizermos pior... Um pouco antes, aquele Deus aparece como alfaiate, pelo menos em certos casos...

"Folgai nesse dia, exultai; porque, eis que é grande o vosso galardão no céu, porque assim faziam seus pais aos falsos profetas." (Lucas 6,23) — Impudente ralé! Compara-se com os profetas.

"Não sabiam que sois o templo de Deus, e que o Espírito de Deus habita em vós? Se alguém destruir o templo de Deus, Deus o destruirá; pois o templo de Deus, *que sois vós*, é santo." (lCoríntios 3,16) — Para essa espécie de coisa não há desprezo que nos chegue... "Não sabeis vós que os santos hão de julgar o mundo? Ora, se o mundo deve ser julgado por vós, sois porventura indignos de julgar as coisas mínimas?" (lCoríntios 6,2) — Infelizmente não se trata apenas das palavras de um lunático... Aquele *terrível impostor* prossegue, então: "Não sabeis vós que havemos de julgar os anjos? Quanto mais as coisas pertencentes a esta vida?"

"Porventura não tornou Deus louca a sabedoria deste mundo? Porque, como na sabedoria de Deus o mundo não conheceu a Deus pela sua sabedoria, aprouve a Deus salvar os crentes pela loucura da pregação... Não muitos sábios segundo a carne, nem muitos poderosos, nem muitos nobres são chamados. Mas Deus escolheu as coisas loucas deste mundo para confundir as sábias; e Deus escolheu as coisas fracas deste mundo para confundir as fortes; e Deus escolheu as coisas vis deste mundo, e as desprezíveis e as que não são, para aniquilar as suas que são; para que nenhuma carne se glorie perante ele." (lCoríntios l,20ss.) A fim de se compreender esta passagem, exemplo de primeira qualidade da psicologia que há por baixo de toda moralidade de pária, é preciso ler a primeira parte de minha *Genealogia da Moral*: ali, pela primeira vez, está exposto o antagonismo entre uma moralidade *nobre* e uma moralidade fruto do *ressentimento* e de uma impotente sede de vingança. Paulo foi o maior apóstolo da vingança...

46

O que se segue, então? Que será melhor calçar luvas antes de ler o Novo Testamento. A presença de tanta sujeira torna aconselhável tal coisa. É tão possível encontrar-se "os primeiros cristãos" para companheiros como judeus poloneses: não que se precise procurar uma objeção a eles... Nenhum dos dois tem cheiro agradável. Procurei em vão uma única manifestação simpática no Novo Testamento; nada há ali que denote franqueza, afabilidade, sinceridade ou elevação de espírito. Nele, a humanidade sequer deu um primeiro passo para cima — falta o instinto de *limpeza*... Só há ali maus instintos, mas sem mesmo a coragem de tais maus instintos. Tudo é covardia, olhos fechados, esforço para enganar a si mesmo. Todos os outros livros tornam-se limpos, quando se tenha lido o Novo Testamento: por exemplo, imediatamente depois de ter lido Paulo, deleitei-me com o mais encantador e irreverente dos satíricos, Petrônio, de quem se pode dizer o que disse Domenico Boccaccio de César Bórgia: "E *tutto festo*" — imortalmente saudável, imortalmente jovial e saudável... Aqueles carolas mesquinhos incorreram em um erro capital. Atacam, mas tudo que atacam se torna ilustre em consequência desse ataque. Todo aquele que é atacado pelos primeiros cristãos não pode, sem sombra de dúvida, ser menosprezado... Ao contrário, deve ser honrado quem tem um dos primeiros cristãos por adversário. Não se pode ler o Novo Testamento sem que se passe a admirar tudo que ele insulta — sem se falar da "sabedoria deste mundo" que um impudente parlapatão procura substituir "pela insensatez da pregação"... Até mesmo os escribas e fariseus são beneficiados com tal oposição; sem dúvida devem ter tido algum valor para serem odiados tão acintosamente. Hipocrisia — como se essa fosse uma acusação que os "primeiros cristãos" pudessem se atrever a fazer! Afinal de contas, eles eram os *privilegiados*, e isso era bastante: o ódio dos párias não precisava de outras desculpas. Os "primeiros cristãos" — e também, penso eu, o "último cristão", *que talvez eu ainda viva para ver* — é um rebelde contra todos os privilégios por um instinto profundo — vive e luta para todo o sempre por "direitos iguais"... A rigor, ele não tem outra alternativa. Quando um homem se propõe a representar, em sua própria pessoa, o "escolhido de Deus" — ou a ser um "templo de Deus" ou um "juiz dos anjos" — então todos os critérios, sejam baseados na honestidade, na inteligência, na virilidade e no orgulho ou baseados na beleza e na largueza de coração, tornam-se simplesmente "mundanos" — *maus por si mesmos*... Moral: toda palavra que vem dos lábios de um dos "primeiros cristãos" é uma mentira, e todos os seus atos são instintivamente desonestos — todos os seus valores, todos os seus objetivos são prejudiciais, mas *todos* que odeia, *tudo* que odeia tem um *valor real*... O cristão, e particularmente o sacerdote cristão, é, destarte, um *critério de valores*.

— Devo acrescentar que em todo o Novo Testamento só aparece uma figura *solitária* digna de ser honrada? Pilatos, o vice-rei de Roma. Encarar seriamente um *imbroglio* judaico estava além de suas possibilidades. Um judeu a mais ou a menos... que importava isso?... O nobre desdém de um romano, perante o qual a palavra "verdade" era vergonhosamente deturpada, enriqueceu o Novo Testamento com a única expressão que *tem algum valor* — e que é, ao mesmo tempo, a sua destruição: "O que é a verdade?"...

47

O que nos separa não é o fato de sermos incapazes de encontrar Deus, quer na história, quer na natureza ou além da natureza — mas o fato de considerarmos o que tem sido honrado como Deus, não como "divino", e sim como lamentável, absurdo, injurioso; não como um simples erro, mas como um *crime contra a vida*... Negamos que Deus seja Deus... Se alguém viesse nos *mostrar* esse Deus cristão, nós estaríamos ainda menos inclinados a acreditar nele. Em uma fórmula: *deus qualem Paulus creaviti dei negatio*. Uma religião como o cristianismo, que não toca na realidade em um só ponto e que se despedaça no momento em que a realidade afirma os seus direitos em qualquer ponto, tem de ser inevitavelmente o inimigo mortal da "sabedoria deste mundo", quer dizer, da *ciência* — e será considerado bom tudo que sirva para envenenar, caluniar e condenar toda disciplina intelectual, toda lucidez e rigor em questões de consciência intelectual, e toda a nobre imparcialidade e liberdade de espírito. A "fé" como imperativo veta a ciência *in praxi*, mentindo a qualquer preço... Paulo sabia muito bem que a mentira — a "fé" — era necessária; mais tarde, a igreja copiou o fato de Paulo. O Deus que Paulo inventou para si mesmo, o Deus que "reduzia ao absurdo" a "sabedoria deste mundo" (especialmente os dois grandes inimigos do superstição, a filologia e a medicina), é, na verdade, apenas uma indicação da resoluta determinação de Paulo no sentido de alcançar ele próprio este objetivo: dar à própria vontade o nome de Deus, *thora* — o que é essencialmente judaico. Paulo *quer* eliminar "sabedoria deste mundo"; seus inimigos são os bons filólogos e médicos da escola alexandrina, contra os quais declara guerra. Na verdade, ninguém pode ser filólogo ou médico sem ser também *Anticristo*. Quer dizer, como filólogo, um homem vê além dos "livros sagrados" e, como médico, *vê além* da degenerescência fisiológica do cristão típico. O médico diz: "incurável"; o filólogo diz: "fraude"...

48

Alguém já compreendeu claramente a famosa história do começo da Bíblia, do terror mortal da *ciência* por parte de Deus?... Ninguém, de fato, compreendeu. Aquele livro, clerical por excelência, inicia-se, adequadamente, com a grande dificuldade interior do sacerdote; ele só enfrenta um grande perigo; *ergo* Deus só enfrenta um grande perigo.

O velho Deus, totalmente "espírito", totalmente alto sacerdote, totalmente perfeito, está passeando pelo seu jardim; sente-se entediado e tenta passar o tempo. Contra o tédio, mesmo os deuses lutam em vão. O que fazer? Ele criou o homem — o homem é divertido... Mas depois descobre que o homem também está entediado. A piedade de Deus pela única forma de perturbação que invade todo o paraíso não conhece limites; assim ele prontamente criou outros animais. Primeiro equívoco de Deus: para o homem, aqueles outros animais não eram divertidos — ele os dominou; não queria ser um animal ele próprio. Então, Deus criou a mulher. Com isso, pôs fim ao tédio — e provocou muitas outras consequências! A mulher foi o *segundo* equívoco de Deus. "A mulher, no fundo, é uma serpente, Eva" — todo sacerdote sabe disso; "da mulher vem todo o mal do mundo" — todo sacerdote sabe disso também. *Ergo*, também ela merece censura quanto à ciência... Foi por intermédio da mulher que o homem aprendeu a provar o fruto da ciência. O que aconteceu? O velho Deus foi tomado de terror mortal. O próprio homem constituiria o maior de seus equívocos; criara um rival; a ciência torna o homem semelhante a Deus — ai dos sacerdotes e dos deuses, quando o homem se torna cientista! *Moral*: a ciência é proibida *per se*; somente ela é proibida. A ciência é o *primeiro* dos pecados, o germe de todos os pecados, o pecado *original*. *Isto é toda a moralidade*: "Não saberás" — o resto é consequência disso. O terror mortal de Deus, contudo, não o impede de ser astucioso. Como se proteger contra a ciência? Durante algum tempo isso constituiu um problema capital. Resposta; fora do paraíso com o homem! Felicidade, descanso, pensamentos acalentados — todos os pensamentos são maus pensamentos! O homem não deve pensar. E assim, o sacerdote inventa o sofrimento, a morte, os perigos mortais do parto, toda a sorte de misérias, a velhice, a decrepitude, e, acima de tudo, a doença — tudo isso apenas instrumentos de combate à ciência! As dificuldades do homem não lhe *permitem* pensar... Não obstante — que coisa horrível! — o edifício da sabedoria começa a se erguer, invadindo o céu, lançando sombras sobre os deuses — o que deve ser feito? — O velho Deus inventa a *guerra*; separa os povos; faz com que os homens se destruam uns aos outros (os sacerdotes sempre tiveram necessidade de guerra...). A guerra — entre outras coisas uma grande perturbadora da ciência! — Incrível! O saber, que *faz o homem libertar-se dos sacerdotes*, prospera, a despeito da guerra. Então, o velho Deus tomou a sua resolução final: "O homem torna-se científico; *não há salvação para ele: tem de ser afogado!*"...

49

Fui compreendido. Nessa abertura da Bíblia encontra-se *toda* a psicologia do sacerdote. O sacerdote sabe que só existe um grande perigo: o da ciência — uma sólida compreensão de causa e efeito. Mas a ciência só floresce, como um todo, em condições favoráveis: o homem deve dispor de tempo, deve ter uma grande inteligência, a fim de "saber"... "*Portanto*, o homem tem de ser infeliz" — esta tem sido, em todos os tempos, a lógica do sacerdote. É fácil ver exatamente *o que*, segundo essa lógica, foi a primeira coisa que veio ao mundo: "*o pecado*"... O conceito de culpa e castigo, a completa "ordem moral do mundo", foi armado *contra* a ciência, *contra* a libertação do homem do jugo dos sacerdotes... O homem não deve olhar para fora; deve olhar para dentro. Não deve contemplar as coisas sagaz e cautelosamente, para conhecê-las; não deve contemplá-las de modo algum; deve *sofrer*... E deve sofrer tanto, que sinta sempre necessidade de um padre. Fora com os médicos! *O que é necessário é um Salvador*. O conceito de culpa e castigo, inclusive as doutrinas da "graça", da "salvação" e da "remissão" — mentiras completas e de todo destituídas de realidade psicológica — foram criados para destruir o *senso de causalidade* do homem: constituem um ataque ao conceito de causa e efeito! E não um ataque com o braço, com a faca, com a honestidade no ódio e no amor! Ao contrário, um ataque inspirado pelo mais covarde, mais fraudulento, mais ignóbil dos instintos! Um ataque de *sacerdotes*! Um ataque de *parasitas*! O vampirismo de pálidas, subterrâneas sanguessugas!... Quando as consequências naturais de um ato já não são naturais, mas consideradas como produzidas pelas fantasmagóricas criações da superstição — por "Deus", por "espíritos", por "almas" — e tidas como consequências meramente "morais", como recompensas, como castigos, como advertências, como lições, então são destruídos todos os alicerces do saber — *então foi perpetrado o maior crime contra a humanidade*. Repito que o pecado, a autodegradação humana por excelência, foi inventado a fim de tornar impossíveis a ciência, a cultura e toda elevação e enobrecimento do homem; o sacerdote domina graças à invenção do pecado.

50

Neste ponto, não posso omitir uma psicologia da "crença", dos "crentes", para benefício especial dos "crédulos". Se resta ainda alguém que ainda não sabe quanto é indecoroso ser crédulo — ou quanto é um sinal de decadência, de uma arruinada vontade de viver — amanhã há de saber bastante. A minha voz alcança mesmo os surdos. Parece, a não ser que eu tenha sido erroneamente informado, que prevalece entre os cristãos uma espécie de critério de verdade que é chamada "prova pelo poder". "A fé traz a bem-aventurança: *logo* é verdadeira." Pode-se objetar de pronto que a bem-aventurança não é demonstrada, e sim meramente prometida: pende sobre a "fé" como uma condição — a pessoa é abençoada porque acredita... Mas o que dizer daquilo que o sacerdote promete ao crente, o "além" de todo transcendental — como é isso demonstrado? A "prova pelo poder", assim assumida, nada mais é, no fundo, que a crença de que os efeitos que a fé promete não deixarão de aparecer. Eis a fórmula: "Creio que a fé traz a bem-aventurança, *logo* ela é verdadeira."... Mas é o mais longe que podemos ir. Esse "logo" seria absurdo em si mesmo como critério de verdade. Admitíamos, porém, para argumentar, que a bem-aventurança pela fé possa ser demonstrada (não meramente esperada, não meramente prometida pelos lábios suspeitos de um sacerdote); ainda assim, seria a bem-aventurança — ou, com uma denominação técnica, *o prazer* — forçosamente ou necessariamente uma prova da verdade? Isso é tão pouco verdadeiro que é quase uma prova contra a verdade, quando sensações de prazer influenciam a pergunta "O que é verdadeiro?" ou, de qualquer maneira, é suficiente para tornar aquela "verdade" bastante suspeita. A prova pelo "prazer" é uma prova de prazer, nada mais; por que se deveria presumir no mundo que o juízo *verdadeiro* dê mais prazer do que o falso, e que, na conformidade de alguma harmonia preestabelecida, acarretaria necessariamente consigo sensações agradáveis? — A experiência de todas as mentes disciplinadas e profundas ensina *o contrário*. O homem tem de lutar para conquistar cada átomo da verdade, e tem de pagar por isso quase tudo a que se apegam o coração, o amor humano, a confiança humana. A grandeza de alma não é necessária nesse caso: o serviço da verdade é o mais árduo de todos os serviços. Qual é, pois, o sentido de *integridade* nas coisas intelectuais? Significa que o homem deve ser severo com o seu próprio coração, que deve zombar dos "belos sentimentos" e fazer de cada "Sim e Não" uma questão de consciência! — A fé traz a bem-aventurança: logo, ela mente...

51

O fato de poder a fé, sob certas circunstâncias, trabalhar em prol da bem-aventurança, mas que essa bem-aventurança produzida por uma ideia fixa de modo algum torne a própria ideia verdadeira, e o fato de que, na realidade, a fé não move montanhas, mas, ao contrário, as levanta onde não havia antes montanha, tudo isso é suficientemente claro para quem dá um passeio através de um *manicômio*. *Não*, naturalmente, para um sacerdote; pois os seus instintos o empurram para a mentira de que doença não é doença e manicômio não é manicômio. O cristianismo considera a doença *necessária*, do mesmo modo que o espírito grego tinha necessidade de uma superabundância de saúde — o verdadeiro objetivo ulterior de todo o sistema de salvação da igreja é *tornar* pessoas doentes. E a própria igreja — não tornou um manicômio católico como supremo ideal? E a Terra toda como um hospício? — A espécie de homem religioso que a igreja *quer* é um típico decadente; as ocasiões em que uma crise religiosa domina um povo são sempre marcadas por epidemias de distúrbios nervosos; o "mundo interior" do homem religioso é tão semelhante ao "mundo interior" dos hipersensíveis e dos esgotados, que dificilmente podem ser distinguidos uns dos outros; os estados "mais elevados" da mente, apresentados à humanidade pelo cristianismo como os de valor supremo, são na realidade epileptoides — a igreja só concedeu o nome de santo aos lunáticos ou a fraudes gigantescas *in majorem dei honorem*... Certa vez, aventurei-me a designar todo o sistema cristão de *training* em penitência e salvação (agora melhor estudado na Inglaterra), como um método de produzir uma *folie circulaire* em um terreno já preparado para isso; quer dizer, um terreno completamente insalubre. Nem todo homem pode ser cristão: para ser "convertido" ao cristianismo é preciso ser suficientemente enfermo... Nós outros, que temos *coragem* para a saúde e do mesmo modo para o desdém, podemos muito bem desprezar uma religião que ensina o desprezo pelo corpo! Que se nega a livrar-se da superstição a respeito da alma! Que faz uma "virtude" da alimentação deficiente! Que combate a saúde como uma espécie de inimigo, de demônio, de tentação! Que se convence que é possível carregar uma "alma perfeita" no cadáver de um corpo, e que, para isso, tenha de inventar um novo conceito de "perfeição", um estado de existência lívido, malsão, idiota, chamado "santidade" — uma santidade que não passa de uma série de sintomas de um corpo depauperado, enervado e incuravelmente desordenado!... O movimento cristão, como um movimento europeu, não passou, a princípio, de um levante geral de toda sorte de elementos refugados e fracassados (que agora, sob a capa do cristianismo, aspiram ao poder). Não representa a decadência de uma raça; representa, ao contrário, um conglomerado de produtos da decadência, vindos de todas as direções, ajuntando-se e procurando uns aos outros. Não foi, como se acreditava, a corrupção da Antiguidade, da *nobre* Antiguidade, que tornou possível o cristianismo; não há palavras bastante candentes para desafiar a imbecilidade letrada que hoje sustenta tal teoria. No tempo em que a doentia e apodrecida ralé de todo o Império foi cristianizada, o *tipo contrário*, a nobreza, atingia o mais completo e maduro desenvolvimento. A maioria tornou-se senhor; a democracia, com os instintos cristãos, triunfou... O cristianismo não era "nacional", não se baseava em raças — apelava para toda a variedade de homens deserdados pela vida, tinha seus aliados em toda a parte. O cristianismo tem o rancor dos enfermos em seu âmago — o instinto contra o *saudável*, contra a *saúde*. Tudo que é bem-constituído, orgulhoso, majestoso e, acima de tudo, belo, ofende os seus ouvidos e os seus olhos. Não posso deixar de lembrar de mais uma preciosíssima afirmação de Paulo: "E Deus escolheu as coisas *fracas* deste mundo, as coisas *loucas* deste mundo, as coisas *baixas* deste mundo, e as coisas que são *desprezadas*"; esta era a fórmula: *in hoc signo* a decadência triunfou. *Deus na cruz* — o homem irá sempre esquecer a terrível significação profunda deste símbolo? Tudo que sofre, tudo que pende da cruz, é *divino*... Nós todos pendemos da cruz, consequentemente somos divinos... Somente nós somos divinos... O cristianismo constituiu assim uma vitória: uma atitude mais nobre da mente foi por ele destruída — o cristianismo permanece até hoje como o maior infortúnio da humanidade.

52

O cristianismo também se opõe a todo o bem-estar intelectual: o raciocínio doentio é o único que pode ser usado como raciocínio cristão; fica ao lado de tudo que é idiota; anematiza o "intelecto", a *soberba* do intelecto saudável. Uma vez que a doença é inerente ao cristianismo, segue-se que o estado de "fé" tipicamente cristão *também* tem de ser uma forma de doença, e que todos os caminhos claros, retos e diretos para a sabedoria devem ser banidos pela igreja como caminhos *proibidos.* A dúvida é, assim, um pecado desde que surge... A completa falta de asseio psicológico no sacerdote — revelada por um simples olhar para ele — é um fenômeno resultante da decadência; pode-se observar, nas mulheres histéricas e nas crianças raquíticas, como são sintomas de decadência a falsificação dos instintos e a incapacidade de encarar as pessoas e de caminhar em linha reta. "Fé" significa a vontade de evitar saber o que é verdadeiro. O pietista, o sacerdote de qualquer sexo, é uma fraude porque é mórbido: seu instinto *exige* que jamais sejam reconhecidos, em todo e qualquer lugar, os direitos da verdade. "Tudo que vem da morbidez é bom, tudo que vem da abundância, da fartura, do poder, é mau": assim argumenta o crente. O *impulso para mentir*: eis como reconheço cada teólogo predestinado. Outra característica do teólogo é sua *incapacidade para a filologia.* O que chamo aqui de filologia é, em um sentido geral, a arte de ler com proveito, a capacidade de absorver fatos sem interpretá-los falsamente e sem perder a cautela, paciência e sutileza no esforço de compreendê-los. A filologia como ceticismo na interpretação: quer se tratando de livros, quer se tratando de informações de jornais, de acontecimentos sensacionais ou de estatísticas meteorológicas — para não mencionar a "salvação da alma"... A maneira com que um teólogo, seja em Berlim, seja em Roma, se dispõe a explicar, digamos, uma "passagem da Escritura", ou uma experiência, ou uma vitória do exército nacional, focalizando sobre eles a iluminação dos Salmos de David, é sempre tão temerária quanto seria a de um filólogo escalando uma muralha. Mas o que acontecerá quando pietistas e outras vacas da Suábia usarem o "dedo de Deus" para converterem sua existência miseravelmente banal e malfeita em um milagre de "graça", uma "providência" e uma "experiência de salvação"? O mais modesto exercício de inteligência, para não se dizer de decência, seria com certeza suficiente para convencer aqueles intérpretes da perfeita puerilidade e inutilidade de uso tão mau da destreza digital divina. Por menor que seja a nossa piedade, se jamais encontrássemos um deus sempre disposto a nos curar na mesma hora de um ligeiro resfriado ou a nos meter em nossa carruagem no mesmo instante em que começasse a cair uma chuva forte, ele nos pareceria um deus tão absurdo que deveria ser abolido, mesmo se existisse. Deus como um empregado doméstico, como um carteiro, como um homem-almanaque — no fundo é um simples nome para a mais estúpida forma do acaso... A "Divina Providência", em que um de cada três homens da "culta Alemanha" ainda acredita, é um argumento tão sério contra Deus que seria impossível imaginar-se um melhor. E, de qualquer maneira, é um argumento contra os alemães!...

53

É tão pouco verdade que os mártires ofereçam qualquer espécie de apoio à verdade de uma causa que estou inclinado a negar que qualquer mártir tenha algo a ver com a verdade, de qualquer modo. Na própria atitude do mártir, ao apegar-se ao que ele fantasia ser verdadeiro, manifesta-se um tão baixo grau de honestidade intelectual e tal insensibilidade em face do problema da "verdade" que se torna de todo necessário refutá-lo. A verdade não é algo que um homem tenha e outro homem não tenha: na melhor hipótese, apenas os camponeses ou apóstolos de camponeses, como Lutero, podem pensar de tal maneira. Pode-se ter certeza de que, quanto mais elevada for a consciência intelectual de um homem, tanto maior será a sua modéstia, a sua *discrição* diante de tal assunto. Saber em cinco casos e recusar, com delicadeza, a saber algo a mais... A "verdade", tal como a palavra é entendida por todo profeta, todo sectário, todo livre-pensador, todo socialista e todo eclesiástico, é simplesmente uma prova completa de que nem o começo se fez na disciplina intelectual e no autodomínio necessários à revelação sequer da menor verdade. As mortes dos mártires, diga-se de passagem, foram infortúnios da história: desorientaram... A conclusão a que chegam todos os idiotas, mulheres e plebeus, a de que deve haver alguma coisa em uma causa pela qual alguém morre (ou que, como no caso do cristianismo primitivo, provocam epidemias de suicídios) — essa conclusão constituiu um tremendo empecilho para a apuração dos fatos, para todo o espírito de pesquisa e investigação. Os mártires prejudicaram a verdade... Até mesmo em nossos dias, o simples fato da perseguição é suficiente para dar um nome ilustre à mais vazia espécie de sectarismo. Mas por quê? A dignidade de uma causa é alterada pelo fato de alguém ter dado a sua vida por ela? Um erro que se torna ilustre é simplesmente um erro que adquiriu um encanto sedutor a mais; supondes, Srs. Teólogos, que vos daremos a oportunidade de sermos martirizados pelas vossas mentiras? Melhor se livra de uma causa congelando-a delicadamente; também essa é a melhor maneira de se nos livrarmos dos teólogos... Essa é precisamente a estupidez histórico-universal de todos os perseguidores: dão a aparência de valor à causa a que se opõem — dão-lhe um presente da fascinação pelo martírio... As mulheres ainda estão ajoelhadas diante de um erro, porque lhes disseram que alguém morreu na cruz por esse erro. *Será, então, a cruz um argumento?* A respeito de todas essas coisas, porém, houve um e somente um que disse o que havia necessidade de dizer por milhares de anos: *Zaratustra.*

Eles fizeram sinais com sangue ao longo do caminho que seguiam, e a sua loucura lhes ensinou que a verdade é provada pelo sangue.

Mas o sangue é a pior de todas as testemunhas para a Verdade; o sangue envenena mesmo os mais puros ensinamentos e os transforma em loucura e ódio no coração.

E quando alguém atravessa o fogo para os seus ensinamentos — o que prova tal coisa? Em verdade, é mais quando os ensinamentos do homem vêm de seu próprio fogo.

54

Não vos iludais: os grandes intelectos são céticos. Zaratustra é um cético. A força, a *liberdade* que procedem do poder intelectual, de uma superabundância de poder intelectual, *manifestam-se* como ceticismo. Os homens de convicções arraigadas não se contam quando se trata de determinar o que é fundamental em valores e falta de valores. Os homens de convicção são prisioneiros. Não veem suficientemente longe, não veem o que está *abaixo* deles, ao passo que um homem capaz de tudo abordar sobre valor e falta de valor deve ter condições de ver quinhentas convicções *diante* dele — e *atrás* dele... Um espírito que aspire a grandes coisas, e que procure os meios para isso, é necessariamente cético. A liberdade de qualquer espécie de convicção *pertence* ao vigor e a um ponto de vista independente... Essa grande paixão, que é, ao mesmo tempo, o alicerce e o poder da existência de um cético, e que é mais esclarecida e mais despótica do que ele próprio, chama ao seu serviço toda a sua inteligência; torna-o inescrupuloso; dá-lhe coragem de utilizar meios malditos; em certas circunstâncias não lhe regateia mesmo convicções. A convicção como um meio: pode-se alcançar muita coisa por meio de uma convicção. Uma grande paixão usa e se utiliza de convicções; não se curva a elas — sabe que ele próprio é soberano. Ao contrário, a necessidade de fé, de algo não condicionado pelo sim ou não, de Carlylismo, se me permitem o uso da palavra, é uma necessidade da *fraqueza*. O homem de fé, o "crente" de qualquer espécie, é necessariamente um homem dependente — tal homem não pode se apresentar como um objetivo, não pode encontrar objetivos dentro de si mesmo. O "crente" não pertence a si mesmo; só pode ser um meio para um fim; tem de ser *usado*; precisa de alguém para usá-lo. Seu instinto atribui as honras mais elevadas a uma ética de ofuscação de si mesmo; está disposto a adotá-la a troco de tudo: sua prudência, sua experiência, sua vaidade. Toda espécie de fé é por si mesma uma prova de ofuscação de si mesmo, de alienação de si mesmo... Quando se reflete sobre como é necessário para a grande maioria a existência de regras criando-lhe restrições e fazendo-a jejuar, e que o domínio, ou, em sentido mais alto, a *escravidão* é a única condição que assegura o bem-estar do homem de espírito fraco, e especialmente da mulher, então imediatamente se compreende o que é convicção e "fé". Para o homem com convicção, essa é a sua espinha dorsal. *Evitar* ver muitas coisas, não ser jamais imparcial, ser firmemente um homem de partido, apreciar todos os valores rigorosa e infalivelmente — tais são as condições necessárias à existência de tal homem. Pelo mesmo sinal é o antagonista do homem verdadeiro — da verdade... O crente não tem liberdade de responder à pergunta "verdadeiro" ou "não verdadeiro", de acordo com os ditames da sua própria consciência: a integridade nesse ponto provocaria instantaneamente a sua queda. As limitações patológicas de sua visão transformam o homem de convicção em um fanático — Savonarola, Lutero, Rousseau, Robespierre, Saint-Simon — esses tipos se opõem ao espírito forte, *emancipado*. Mas as atitudes grandiosas desses intelectos *enfermos*, esses epilépticos intelectuais, exercem influência sobre grandes massas — os fanáticos são pitorescos, e a humanidade prefere observar poses do que ouvir *razões*...

55

Mais um passo na psicologia da convicção, da "fé". Passou um bom tempo depois que sugeri fosse considerada a questão de se saber se as convicções não eram inimigas mais perigosas para a verdade do que as mentiras. (*Humano, demasiadamente humano*, l, aforismo 483.) Desta vez desejo esclarecer o assunto definitivamente: há alguma diferença real entre uma mentira e uma convicção? Todo o mundo acredita que há; mas o que não é acreditado por todo o mundo? Cada convicção tem a sua história, suas formas primitivas, seu estágio de experimentação e de erro; só se torna uma convicção depois de *não* ter sido convicção durante muito tempo, e, em seguida, durante um tempo ainda mais longo, *quase* não ter sido uma convicção. E se a falsidade for também uma dessas formas embrionárias de convicção? Às vezes, tudo de que se precisa é de uma mudança de pessoas: o que é uma mentira do pai torna-se uma convicção no filho. Chamo de mentira a recusa de ver o que vê, ou a recusa de ver as coisas como elas são; não tem importância se a mentira for dita ou não perante testemunhas. A espécie mais comum de mentira é aquela pela qual um homem engana a si mesmo: o logro a outrem é uma ação relativamente rara. Ora, esse fato de não ver o que se vê, de não querer ver as coisas como elas são, é quase que o primeiro requisito para todo aquele que pertence a um partido de qualquer espécie: o partido torna o homem inevitavelmente mentiroso. Assim, por exemplo, os historiadores alemães estão convencidos de que Roma era sinônimo de despotismo e que os povos germânicos trouxeram ao mundo o espírito de liberdade; qual é a diferença entre essa convicção e uma mentira?

É de se admirar que todos os partidários, inclusive os historiadores alemães, instintivamente levem à boca belas frases exaltando a moralidade — essa moralidade quase deve a sua própria sobrevivência ao fato de que o homem de partido de qualquer espécie precisa dela a todo momento. "Esta é a *nossa* convicção; proclamamo-la a todo o mundo; viveremos e morreremos por ela; respeitemos todos que têm convicções!" Já ouvi realmente a expressão de tais sentimentos da boca de antissemitas. Ao contrário, meus senhores! Um antissemita não se torna certamente mais respeitável pelo fato de mentir quanto ao princípio... Os sacerdotes, que agem com muito mais esperteza em tais questões, e que compreendem muito bem a objeção que surge à noção de uma convicção, quer dizer, da falsidade que se torna uma questão de princípio porque serve a um objetivo, tomaram emprestado dos judeus o estratagema de se protegerem com os conceitos de "Deus", "a vontade de Deus" e a "revelação de Deus", em seu lugar. Kant, também, com o seu imperativo categórico seguiu o mesmo caminho: essa foi a sua razão *prática*. Há razões a respeito da verdade ou inverdade que não compete ao homem decidir; todas as questões capitais, todos os problemas capitais de avaliação, estão além da razão humana... Saber os limites da razão — somente isso é legítima filosofia... Por que Deus fez uma revelação ao homem? Não teria Deus feito algo de supérfluo? O homem não podia descobrir sozinho o que era o bem e o que era o mal, assim Deus lhe ensinou Sua vontade... Moral: o sacerdote não mente; a questão "verdade" ou "inverdade" nada tem a ver com as coisas que o sacerdote discute; é impossível mentir a respeito de tais coisas. Para mentir, seria preciso saber o que é verdadeiro. Isso, porém, está além do que o homem pode conhecer; o sacerdote é, portanto, um mero porta-voz de Deus. Esse silogismo sacerdotal não é, de modo algum, meramente judaico ou cristão; o direito de mentir e a *astuta escapatória da revelação* pertencem ao tipo sacerdotal em geral — tanto aos sacerdotes da decadência quanto aos sacerdotes dos tempos do paganismo (pagão é todo aquele que diz "sim" à vida e para o qual Deus é uma palavra que significa aquiescência em todas as coisas). A "lei", a "vontade de Deus", o "livro sagrado" e a "inspiração" — todas essas coisas não passam de palavras para as condições sob as quais o sacerdote chega ao poder e com as quais ele se mantém no poder; esses conceitos se encontram no fundo de todas as organizações sacerdotais, e de todos os sistemas de governo sacerdotais ou filosófico-sacerdotais. A "mentira sagrada" — comum a Confúcio, ao Código de Manu, a Maomé e à igreja cristã — não falta mesmo a Platão. "A verdade está aqui" — isto significa, seja onde for que seja ouvido, que *o sacerdote mente*...

56

Em última análise, chega-se a isto: qual é o *fim* da mentira? Minha objeção é o fato de que, no cristianismo, os fins "sagrados" não são visíveis. Somente aparecem os *maus* fins: o envenenamento, a calúnia, a negação da vida, o desprezo pelo corpo, a degradação e autocontaminação do homem pelo conceito do pecado — *logo*, sua significação também é má. Tenho uma impressão contrária quando leio o *Código de Manu*, uma obra incomparavelmente mais inteligente e superior, e parece-me que seria um pecado contra a *inteligência* classificá-lo no mesmo ramo da Bíblia. É fácil ver por que: há uma filosofia por trás dele, há uma filosofia *nele*, não meramente uma malcheirosa massa de superstição e rabinismo judaico — oferece, mesmo ao mais exigente psicólogo, algo que possa estudar. E não nos esqueçamos o que é mais importante: ele difere fundamentalmente de toda espécie de Bíblia; graças a ele, os *nobres*, os filósofos e os guerreiros mantêm o domínio sobre a maioria; está repleto de nobres avaliações, mostra um sentimento de perfeição, uma aceitação da vida e um sentimento triunfante para consigo mesmo e para com a vida — a luz solar ilumina todo o livro. Todas as coisas sobre as quais o cristianismo lança a sua insondável vulgaridade — por exemplo, procriação, mulheres e casamento — são ali encaradas vigorosamente, com reverência e com amor e confiança. Como poderá alguém, realmente, pôr nas mãos de crianças e de damas um livro que contém coisas tão vis quanto esta: "mas, por causa da fornicação, cada um tenha a sua própria mulher, e cada uma tenha o seu... porque é melhor casar-se do que abrasar-se"? E é *possível* ser cristão quando a origem do homem é cristianizada, quer dizer, *conspurcada* pela doutrina da *immaculata conceptio?*... Não conheço livro em que tenham sido ditas tantas coisas delicadas e amáveis a respeito das mulheres como no *Código de Manu*; aqueles velhos barbudos e santos têm uma maneira de serem amáveis para com as mulheres que talvez seja impossível ultrapassar. "A boca de uma mulher", diz um de seus trechos, "os seios de uma donzela, a prece de uma criança e a fumaça do sacrifício são sempre puros". Em outro lugar: "nada há mais puro do que a luz do Sol, a sombra de uma vaca, o ar, a água, o fogo e a respiração de uma donzela". Finalmente, há em outro lugar — talvez isto também seja uma mentira sagrada — "todos os orifícios do corpo acima do umbigo são puros, todos os abaixo do umbigo são impuros. Somente na donzela todo o corpo é puro".

57

Identifica-se a *impiedade* dos recursos cristãos em flagrante pelo simples processo de comparar as finalidades a que visa o cristianismo ao lado das finalidades a que visa o *Código de Manu* — fazendo incidir uma forte luz sobre aquelas finalidades enormemente antitéticas. O crítico do cristianismo não pode escapar da contingência de ter de achar o cristianismo *desprezível*. Um livro de leis como o *Código de Manu* tem a mesma origem de todos os outros bons códigos: resume a experiência, a sagacidade e a experimentação ética de longos séculos; leva as coisas a uma conclusão; já não cria mais. O requisito primordial para uma codificação dessa espécie consiste no reconhecimento do fato de que os meios que firmam a autoridade de uma *verdade* lenta e penosamente alcançada são fundamentalmente diferentes daqueles que seriam usados para prová-la. Uma codificação de leis jamais declama a utilidade, os fundamentos, os antecedentes casuísticos da lei, pois, se assim fizesse, perderia o tom imperativo, o "farás" em que se baseia a obediência. O problema reside exatamente nisso. Em um certo ponto da evolução de um povo, a classe desse povo dotada de maior discernimento, quer dizer, dotada de maior percepção e capacidade de previsão, declara que a série de experiências determinando como esse povo deve viver — ou pode viver — chegou ao fim. O objetivo é fazer agora uma colheita tão rica e completa quanto possível, depois do tempo de experiências e *rudes* experiências. Em consequência, o que deve ser evitado acima de tudo é nova experimentação — a continuação do estado em que os valores são fluentes e examinados, escolhidos e criticados *ad infinitum*. Contra isso, levanta-se uma dupla muralha: de um lado, *revelação*, que é a presunção de que as razões que sustentam as leis não são de origem humana, *não* são procuradas e encontradas mediante um lento processo e depois de muitos erros, e sim de ascendência divina e surgem completas, perfeitas, sem uma história, como um dom, um milagre... e, de outro lado, a *tradição*, que é a presunção de que a lei tem de ser imutável desde tempos imemoriais, e que é uma impiedade e um crime contra os antepassados pô-la em dúvida. A autoridade da lei se firma, assim, na tese: Deus a deu, e os antepassados a *praticaram*. O motivo principal de tal processo reside na intenção de afastar a consciência, passo a passo, no que concerne às noções de vida correta (isto é, aquela que se mostrou correta pela experiência ampla e cuidadosamente considerada), de maneira que os instintos alcancem um perfeito automatismo — uma necessidade primária de toda a sorte de eficiência, de toda a sorte de perfeição na arte de viver. Elaborar um código como o de Manu significa apresentar a um povo a possibilidade de futura mestria, de perfeição atingível — permite-lhe aspirar às mais altas culminâncias na arte de viver. *Para essa finalidade a coisa deve se tornar inconsciente*: este é o objetivo de toda mentira sagrada. *A ordem de castas*, a lei mais importante, a lei dominante, é meramente a ratificação de uma *ordem da natureza*, de uma lei natural de primeira categoria, sobre a qual nenhuma ordem arbitrária, nenhuma "ideia moderna", pode exercer influência. Em toda sociedade saudável há três tipos fisiológicos, gravitando rumo à diferenciação mas se condicionando mutuamente uns aos outros, e cada um desses tipos tem a sua própria higiene, a sua própria esfera de trabalho, a sua própria capacidade especial e o seu próprio sentimento de perfeição. Não foi Manu, mas a natureza, que determinou que uma classe abranja aqueles que são principalmente intelectuais; outra aqueles que são marcados pela força muscular e temperamento afim, e uma terceira classe os que não se distinguem de uma ou outra maneira, mas mostram apenas mediocridade — a última representando a grande maioria, e as duas primeiras a elite. A casta superior — eu a chamo de "os poucos" — tem, como a mais perfeita, o privilégio dos poucos: implica felicidade, beleza, tudo que há de bom na Terra. Somente os mais inteligentes dos homens têm qualquer direito à beleza, ao belo; somente neles, bondade pode escapar de ser fraqueza. *Pulchrum est paucorum hominum*: a bondade é um privilégio. Nada lhes pode ser mais indevido do que maneiras grosseiras ou uma atitude pessimista ou olhos que vejam a *feiura* — ou indignação contra o aspecto geral das coisas. A indignação é privilégio dos párias; do mesmo modo que o pessimismo. "*O mundo é perfeito*" — assim afirma o instinto do intelectual, do homem que diz "sim" à vida. "A imperfeição, tudo que é inferior a nós; a distância; o *pathos* do distanciamento; mesmo os próprios párias fazem parte dessa perfeição." Os homens mais inteligentes, do mesmo modo que os *mais fortes*, encontram a sua felicidade onde os outros só encontram a desgraça: no labirinto, em serem duros consigo mesmo e com os outros, no esforço; deleitam-se com o domínio sobre si mesmos; neles, o ascetismo torna-se a sua segunda natureza, uma necessidade, um instinto. Consideram uma tarefa difícil como um privilégio; para eles é uma *recreação* brincar com encargos que esmagariam outros... Conhecer — uma forma de ascetismo. Eles são a mais digna espécie de homens: mas isso não impede de serem os mais joviais e os mais amáveis. Governam, não porque queiram, mas pelo que são; não têm liberdade de desempenhar um papel secundário. A *segunda casta*: a ela pertencem os guardiães da lei, os mantenedores da ordem e da segurança, os mais nobres guerreiros, acima de todos o rei como a mais alta forma de guerreiro, juiz e preservador da lei. A segunda ordem constitui o braço executivo dos intelectuais, seguindo-lhes em hierarquia, tomando deles tudo que é rude no exercício do poder — seus seguidores, seu braço direito, seus mais aptos discípulos. Em tudo isso, repito, nada há de arbitrário, nada há de "postiço"; tudo que for contrário será postiço — será repudiado pela natureza... A ordem de castas, a *ordem de classes sociais*, formula simplesmente a suprema lei da própria vida; a separação dos três tipos é necessária à manutenção da sociedade, e à evolução de tipos mais elevados, dos tipos superiores; a desigualdade de direitos é essencial para a existência de qualquer direito. O direito é um privilégio. Cada um goza o privilégio que está de acordo com a sua condição de vida. Não subestimemos os privilégios dos *medíocres*. A vida é sempre mais dura para quem atinge as alturas; o frio aumenta, aumentam as responsabilidades. Uma alta civilização é uma pirâmide: somente pode se firmar em uma larga base; o seu principal requisito prévio é uma forte e solidamente consolidada mediocridade. As artes manuais, o comércio, a agricultura, a *ciência*, grande parte da arte, em suma, toda sorte de atividades *ocupacionais*, somente são compatíveis com capacidade e aspirações medíocres; tais apelos seriam descabidos para homens excepcionais; os instintos que lhes pertencem mantêm-nos opostos tanto à aristocracia quanto ao anarquismo. O fato de ser um homem publicamente útil, de ser uma roda, uma função, é prova de uma predisposição natural; não é a *sociedade*, mas a única forma de felicidade de que a maioria é capaz, que os tornam máquinas inteligentes. Para o medíocre, a mediocridade é uma forma de felicidade; o medíocre tem o instinto natural de dominar uma coisa para a especialização. Seria de todo indigno de uma grande inteligência ver algo de condenável na mediocridade em si mesma. Ela é, de fato, o primeiro requisito prévio para o aparecimento do excepcional; é uma condição necessária a um alto grau de civilização. Quando o homem excepcional manipula o homem medíocre com mais delicadeza do que aplica a si mesmo ou aos seus iguais, não se trata simplesmente de bom coração — é apenas seu *dever*... Quem eu odeio mais profundamente entre a ralé de hoje? A ralé dos socialistas, os apóstolos dos párias, que solapam os instintos do trabalhador, seu prazer, seus sentimentos de satisfação com sua mesquinha existência — que o torna invejoso e lhe ensina a vingança... O mal jamais se origina de direitos desiguais, e sim na afirmação de direitos "iguais"... O que é *mau?* Mas já respondi: tudo que procede da fraqueza, da inveja, da *vingança.* O anarquista e o cristão têm a mesma origem...

58

Em um ponto de fato, as finalidades a que visam os homens apresentam uma grande diferença: uma preserva e outra destrói. Há uma perfeita semelhança entre o cristão e o anarquista: o seu objetivo, o seu instinto, aponta sempre para a destruição.

Basta examinarmos a história para termos uma prova disso; o fato se mostra com impressionante clareza. Acabamos de estudar uma codificação de leis religiosas cujo objetivo era o de converter as condições que levem a vida a *florescer* em uma organização social "eterna" — o cristianismo encontrou a sua missão pondo fim a tal organização, *porque* a *vida florescia sob ela.* Em um caso, os benefícios que a razão produzira durante longos séculos de experiência e insegurança foram aplicados para as mais remotas utilizações, e foi feito um grande esforço para que a colheita fosse tão grande, tão rica e tão completa quanto possível; em outro caso, ao contrário, a seara foi destruída de uma hora a outra... O que ali se erguia, *aere perennius,* o *Imperium Romanum,* a mais perfeita forma de organização em condições difíceis que foi alcançada, e comparada com a qual tudo que houve antes e tudo que veio depois aparece como um diletantismo canhestro e frouxo — aqueles santos anarquistas trataram, como dever religioso, de destruir; de destruir "o mundo", quer dizer o *Imperium Romanum,* de modo que no fim não ficasse pedra sobre pedra — e mesmo os germanos e outros rústicos semelhantes puderam tornar-se seus donos... O cristão e o anarquista; ambos são decadentes; ambos são incapazes de qualquer ato que não seja desintegrante, venenoso, degenerativo, vampiresco; ambos têm um instinto de *ódio mortal* a tudo que se ergue, que é grande e é durável, e promete dar vida a um futuro... O cristianismo foi o vampiro do *Imperium Romanum* — de uma hora para outra destruiu a grande obra dos romanos: a conquista do território para uma grande cultura, *que podia esperar a sua vez*. Por acaso tal fato não foi ainda compreendido? O *Imperium Romanum* que conhecemos, e que a história das províncias romanas nos ensina a conhecer cada vez melhor, a mais admirável de todas as obras de arte de grande porte, estava apenas no começo, e o rumo a seguir era não *provar* o seu valor para milhares de anos. Até hoje, coisa alguma em tal escala *sub specie aeterni* se concretizou ou sequer foi sonhada! Aquela organização era suficientemente forte para suportar maus imperadores: o acidente da personalidade nada tinha a ver com tais coisas — o primeiro princípio de toda arquitetura genuinamente grande.

Não foi, contudo, bastante forte para enfrentar a mais *corrupta* de todas as formas de corrupção, os cristãos... Aqueles vermes furtivos, que sob a proteção da noite, das trevas, da duplicidade, atacam cada indivíduo, sugando-Ihe todo o interesse pelas coisas *reais*, todo instinto para a *realidade* — aquele bando de covardes, efeminados, fingindo doçura, afastou todas as "almas", passo a passo, do colossal edifício, voltando-se contra todas as naturezas meritórias, viris e nobres que tinham feito da causa de Roma a sua própria causa, sua mais séria preocupação, seu próprio *orgulho*. A mesquinhez da hipocrisia, o sigilo dos conventículos, conceitos negros como o inferno, tais como o sacrifício do inocente, a *unio mystica* na ingestão de sangue, e, acima de tudo, o fogo da vingança vagarosamente reaceso, o fogo da vingança dos párias — tudo dessa espécie tornou-se dono de Roma; a mesma espécie de religião que, em uma forma preexistente, Epicuro combatera. Basta ler Lucrécio para compreender *o que* Epicuro combateu: não foi o paganismo, mas o "cristianismo", quer dizer, a corrupção das almas por meio dos conceitos de culpa, castigo e imortalidade. Combateu os cultos *subterrâneos*, o conjunto do cristianismo latente — negar a imortalidade já era uma forma de legítima *salvação*. Epicuro triunfara, e todos os intelectos respeitáveis de Roma eram epicuristas — *quando Paulo surgiu*... Paulo, o ódio pária a Roma, ao "mundo", à carne inspirada pelo gênio — o judeu, o eterno judeu por excelência... O que ele viu foi como, com a ajuda do pequeno grupo sectário de cristãos que se havia afastado do judaísmo, poderia ser desencadeada uma "conflagração universal"; como, com o símbolo de "Deus na cruz", todas as sedições secretas, todos os frutos das intrigas anarquistas do império, poderiam ser amalgamadas em um imenso poder. "A salvação é dos judeus"; o cristianismo é a fórmula para ultrapassar e reunir os cultos subterrâneos de todas as variedades, o de Osíris, o da Grande Mãe, o de Mitras, por exemplo; no discernimento desse fato revelou-se, sem dúvida, o gênio de Paulo. Seu instinto era nisso tão seguro que, com a temerária violência da verdade, ele espalhou as ideias que fascinavam a toda a espécie de religião da ralé na boca do "Salvador" como suas próprias invenções, e não somente em sua boca: transformou-as em algo que mesmo um sacerdote de Mitra era capaz de compreender... Essa foi a sua revelação em Damasco: ele atinou com o fato de que *precisava* da crença na imortalidade a fim de roubar ao "mundo" o seu valor, de que o conceito de "inferno" dominaria Roma — que a noção de um "além" é a *morte da vida*... Niilista e cristão: rimam em alemão, e não rimam somente...

59

Todo o esforço do mundo antigo foi em vão: não há palavras capazes de descrever o que tal monstruosidade me faz sentir. É, considerando-se o fato de que tal esforço foi meramente preparatório, que com uma férrea autodeterminação ele lançara apenas os alicerces de uma obra que se prolongaria por milhares de anos, toda a *significação* da Antiguidade desaparece!... A que visavam os gregos? A que visavam os romanos? Todos os requisitos prévios essenciais para uma cultura superior, todos os *métodos* científicos já existiam então; o homem já aperfeiçoara a arte incomparável de saber ler proveitosamente — a primeira necessidade para a tradição da cultura, a unidade das ciências; as ciências naturais, aliadas às matemáticas e à mecânica, estavam no caminho certo — a *percepção sensorial do fato*, a final e mais valiosa de todas as percepções, tinha as suas escolhas, e as suas tradições já tinham séculos de existência! Será tudo isso devidamente compreendido? Tudo de *essencial* ao começo da obra estava pronto: e o mais *essencial*, nunca é demais repetir, são os métodos, também o mais difícil de se criar, e o que é mais difícil de se aperfeiçoar e o que por mais longo tempo sofre em consequência dos hábitos arraigados e da preguiça. O que teve de ser hoje reconquistado, com insuperável autodisciplina por nós mesmos — pois certos maus instintos, certos instintos cristãos ainda se escondem em nossos corpos — quer dizer, olhos penetrantes para ver a realidade, gestos cautelosos, paciência e seriedade no trato das menores coisas, *integridade* completa do conhecimento — todas essas coisas já existiam, e tinham existido por dois mil anos! Mais do que isso, havia também um tato, um gosto altamente requintado e excelente! Não se tratava de um simples treinamento mental! Não se tratava de uma cultura "alemã", com suas maneiras canhestras! Mas de um conjunto, um comportamento, um instinto — em resumo, uma realidade... *Tudo em vão*! Da noite para o dia, tornou-se apenas uma lembrança! Os gregos! Os romanos! A nobreza instintiva, o gosto, a pesquisa metódica, o gênio para a organização e a administração, confiança no futuro do homem e vontade de assegurá-lo, olhos abertos para tudo que entrava no *Imperium Romanum* e atentos em todos os sentidos, um grande estilo que ultrapassara a simples arte, mas se tornara realidade, verdade, *vida*... Tudo foi destruído em uma noite, mas não por uma convulsão da natureza! Não arrasado pelos teutões e outros de pesados cascos! Mas desmoralizado por astuciosos, simulados, invisíveis, anêmicos vampiros! Não conquistado — mas sugado!... A vingança oculta e a inveja mesquinha tornaram-se os *senhores*! Tudo que havia de miserável, de intrinsecamente mórbido e invadido por maus sentimentos, todo o gueto da alma, se viu de repente *no alto*! Basta se ver um dos agitadores cristãos, por exemplo, Santo Agostinho, para se compreender como aquela canalha chegou ao alto. Seria um erro, contudo, presumir que houve falta de discernimento por parte do movimento cristão: eram hábeis, hábeis ao ponto da santidade, aqueles padres da igreja! O que lhes faltava era algo muito diferente. A natureza descuidou-se — talvez se esqueceu — de dar-lhes mesmo a mais modesta porção de instintos respeitáveis, retos, *limpos*... Aqui entre nós, eles não eram homens sequer... Se o islâmico despreza o cristianismo, tem mil vezes direito de fazê-lo: o Islã pelo menos presume que está tratando com homens...

60

O cristianismo destruiu para nós toda a cultura da civilização antiga e, mais tarde, também destruiu para nós toda a cultura da civilização *maometana*. A maravilhosa cultura dos mouros na Espanha, que estava fundamentalmente mais perto de nós e se ajustava mais aos nossos sentidos que a de Roma e da Grécia, foi *pisoteada* (não direi por que espécie de pés) e *arrasada*. Por quê? Porque tinha em sua origem instintos nobres e viris, porque dizia sim à vida, mesmo ao raro e requintado luxo da vida mourisca! Os cruzados combateram algo diante do qual antes deveriam rastejar: uma civilização junto da qual mesmo a nossa civilização do Século XIX parece pobre e "senil". O que queriam, naturalmente, era saquear; o Oriente era rico... Ponhamos de lado os nossos preconceitos! As cruzadas constituíram uma alta forma de pirataria, nada mais do que isso! A nobreza alemã, que é fundamentalmente uma nobreza *viking*, sentiu-se ali em seu elemento: a igreja sabia muito bem como a nobreza alemã seria *conquistada*... O nobre alemão, sempre a "Guarda Suíça" da Igreja, sempre a serviço de todos os maus instintos da Igreja — *porém bem-pago*... Considere-se o fato de que foi precisamente a ajuda das espadas alemãs e do sangue e valor alemão que permitiu à Igreja combater tudo que é nobre sobre a face da Terra! Neste ponto, apresenta-se uma multidão de penosas questões. A nobreza alemã se situa *fora* da civilização superior: o motivo é óbvio... O cristianismo e o álcool — os dois grandes meios de corrupção... Intrinsecamente, não deveria haver mais escolha entre o Islame e o cristianismo do que entre um árabe e um judeu. A decisão já está tomada; ninguém goza de liberdade de escolha. Ou um homem é um pária ou não é... "Guerra sem quartel a Roma! Paz e amizade com o Islame!": este foi o sentimento, esta foi a *atuação* de um grande espírito livre, aquele gênio entre os imperadores germânicos, Frederico II. Como? É preciso que o alemão seja um gênio, um espírito livre, para que possa sentir *decentemente*? Não posso entender como um alemão possa mesmo se sentir *cristão*...

61

Aqui torna-se necessária uma lembrança que deve ser cem vezes mais penosa aos alemães. Os alemães destruíram para a Europa a última messe de civilização que a Europa jamais colheu: a Renascença. Será entendido afinal, será jamais entendido o que foi a Renascença? *A transposição de valores cristãos* — com todos os meios disponíveis, todos os instintos e todos os recursos do gênio, para fazer triunfar os valores opostos, os valores mais nobres... Essa foi a grande guerra do passado; nunca houve uma questão mais crítica que a da Renascença — é a minha questão, também; jamais houve forma de ataque mais fundamental, mais direta ou mais violentamente desfechada por uma frente inteira contra o centro do inimigo! Para atacar no ponto crítico, na própria sede do cristianismo, e ali entronizar valores mais nobres — quer dizer, *insinuar-se* nos instintos, nas necessidades e apetites mais fundamentais dos que ali dominavam... Vejo diante de mim a *possibilidade* de um encantamento e espetáculo perfeitamente celestes; parece-me cintilar com todas as vibrações de refinada e delicada beleza, e dentro dela uma arte tão divina, tão infernalmente divina, que se teria de procurar em vão, durante milhares de anos, por outra oportunidade semelhante; vejo um espetáculo tão rico em significação e ao mesmo tempo tão cheio de paradoxo que provocaria uma gargalhada imortal aos deuses do Olimpo — *César Bórgia como papa*!... Estou sendo entendido?... Muito bem, essa seria a espécie de triunfo pelo qual só eu estou hoje ansiando; com ela, o cristianismo teria sido *varrido*! O que aconteceu? Um monge alemão, Lutero, foi a Roma. Esse monge, com todos os instintos vingativos de um padre fracassado, provocou uma rebelião contra a Renascença em Roma... em vez de compreender, com profunda gratidão, o milagre que ocorrera: a conquista do cristianismo em sua *capital* — em vez disso, seu ódio foi estimulado pelo espetáculo. Um homem religioso só pensa em si. Lutero viu apenas a *depravação* do papado no exato momento em que o contrário se tornava aparente: a velha corrupção, o *peccatum originale*, o próprio cristianismo, ninguém mais ocupava o trono pontifício! Em vez disso, havia ali a vida! Havia ali o triunfo da vida! Havia um grande Sim a todas as coisas elevadas, belas e ousadas!... E Lutero *restaurou a Igreja*: atacou-a... A Renascença — um acontecimento sem sentido, uma grande futilidade! — Ah, esses alemães, o que nos têm custado! *Futilidade* — esta tem sido sempre o trabalho dos alemães, a obra dos alemães. A Reforma; Leibniz; Kant e a chamada filosofia alemã; a guerra de "libertação"; o império — todas as vezes um fútil substituto para uma coisa já existente, por algo irrecuperável... Esses alemães, confesso, são meus inimigos: desprezo toda a sua falta de asseio em conceitos e avaliação, sua covardia diante de um honesto Sim e Não. Durante quase mil anos têm deturpado e confundido tudo em que as suas mãos tocaram; pesa-lhes na consciência todas as meias medidas, todos os três oitavos de medidas de que a Europa está farta, e pesa-lhes também na consciência a menos asseada variedade de cristianismo que existe, e a mais incurável e indestrutível: o protestantismo... Se a humanidade jamais se livrar do cristianismo, a culpa é dos *alemães*...

62

Com isso, chego a uma conclusão e pronuncio o meu julgamento. *Condeno* o cristianismo; lanço contra a Igreja cristã a mais terrível de todas as acusações que jamais lançou um acusador. Ela é, para mim, a maior de todas as corrupções imagináveis; procura levar a cabo a corrupção suprema, a pior corrupção possível. A Igreja cristã nada deixou imune à sua depravação; transformou cada valor em desvalor, cada verdade em mentira, cada integridade em baixeza de caráter. Que alguém se atreva a me falar de seus benefícios "humanitários"! Sua necessidade mais profunda se volta contra qualquer esforço para se abolir o sofrimento; ela vive para o sofrimento; *cria* o sofrimento para se tornar imortal... Por exemplo, o verme do pecado: foi a igreja que pela primeira vez enriqueceu a humanidade com tal miséria! A "igualdade das almas diante de Deus" — essa fraude, esse *pretexto* para o rancor de todos os pobres de espírito — esse conceito explosivo, terminando em revolução, a ideia moderna e a noção de destruir toda a ordem social — essa é a dinamite *cristã*... "Os benefícios humanitários do cristianismo", com efeito! Gerar de *humanitas* uma contradição em si mesma, uma arte de autopoluição, a vontade de mentir a qualquer preço, aversão e desprezo por todos os bons e honestos instintos! Tudo isso é, para mim, o "humanitarismo" cristão! Parasitismo como única prática da igreja; com os seus anêmicos e "santos" ideais, sugando todo o sangue, todo o amor, toda a esperança da vida; o além como o desejo de negar toda a realidade; a cruz como o distintivo da mais sinistra conspiração de que jamais se teve notícia — contra a saúde, a beleza, o bem-estar, a inteligência, a *afabilidade* de espírito — contra a própria vida...

Essa eterna acusação contra o cristianismo eu a escreverei nos muros, onde muros forem encontrados — tenho letras que mesmo os cegos serão capazes de ver... Denuncio o cristianismo como a grande praga, a grande depravação intrínseca, o grande instinto de vingança, para o qual nenhum meio é bastante venenoso, ou bastante secreto, subterrâneo e *mesquinho*; eu o denuncio como a mácula imortal da raça humana...

E a humanidade conta o *tempo* a partir do *dies nefastus* em que tal fatalidade ocorreu — a partir do primeiro dia do cristianismo! *Por que não a partir de seu último dia? De hoje?* — A transposição de todos os valores!...

Lei contra o Cristianismo

Dada no dia da Salvação, no primeiro dia do ano I (em 30 de setembro de 1888, pelo falso calendário). Guerra de morte contra o vício: o vício é o Cristianismo.

Artigo 1°

Toda a espécie de antinatureza é vício. O tipo mais vicioso de homem é o sacerdote: ele ensina a antinatureza. Contra o sacerdote, não se têm razões, tem-se a casa de correção.

Artigo 2°

Toda participação em um serviço divino é um atentado à moral pública. Deve-se ser mais ríspido com os protestantes do que com os católicos, mais ríspido com o protestante liberal do que com o ortodoxo. O elemento criminal em ser cristão aumenta na medida em que alguém se aproxima da ciência. Portanto, o maior dos criminosos é o *filósofo*.

Artigo 3°

O lugar deplorável onde o cristianismo chocou os seus ovos de basilisco deverá ser completamente demolido e, como lugar infame da Terra, constituirá o terror da posteridade. Lá serão criadas serpentes venenosas.

Artigo 4°

Pregar a castidade é uma incitação pública à antinatureza. Todo desprezo à vida sexual, toda a sua infecção mediante o conceito de "impureza" é o genuíno pecado contra o espírito santo da vida.

Artigo 5°

Comer à mesa com um sacerdote é fonte de ostracismo: é excomungar-se, assim, da sociedade honesta. O sacerdote é o *nosso tchandala* — há que o encarcerar, privá-lo de alimentos, expulsá-lo para qualquer tipo de deserto.

ARTIGO 6°

É preciso chamar a história "sagrada" com o nome que ela merece, ou seja, história *maldita.* As palavras "Deus", "Salvador", "Redentor", "Santo" serão usadas como alcunhas, como marcas dos criminosos.

ARTIGO 7°

— O resto segue-se daqui.

Sobre o autor

Friedrich Wilhelm Nietzsche nasceu em 15 de outubro de 1844 em Röcken, Prússia. Em 1858, obteve bolsa de estudos na então famosa escola de Pforta. Datam dessa época suas leituras de Schiller (1759-1805), Hölderlin (1770-1843) e Byron (1788-1824). Excelente aluno em grego e brilhante em estudos bíblicos, alemão e latim, seus autores favoritos, entre os clássicos, foram Platão (428-348 a.C.) e Ésquilo (525-456 a.C.).

Em 1871, publicou *O nascimento da tragédia*, livro mal-acolhido pela crítica. Em 1879 iniciou sua grande crítica aos valores, escrevendo *Humano, demasiado humano*. Em 1880, publicou *O andarilho e sua sombra*. Em 1882, veio à luz *A gaia ciência*, depois *Assim falou Zaratustra* (1884), *Além do bem e do mal* (1886), *O caso Wagner*, *Crepúsculo dos ídolos*, *Nietzsche contra Wagner* (1888). *Ecce homo*, *Ditirambos dionisíacos*, *O anticristo* e *Vontade de potência* só apareceram depois de sua morte. Durante o verão de 1881, teve a intuição de *O eterno retorno*, redigido logo depois. Em 1885, veio a público a quarta parte de *Assim falou Zaratustra*.

Depois de 1888, Nietzsche passou a escrever cartas estranhas. Um ano mais tarde, em Turim, enfrentou o auge da crise; escrevia cartas ora assinando "Dioniso", ora "o Crucificado" e acabou sendo internado em Basileia, onde foi diagnosticada uma "paralisia progressiva". Provavelmente de origem sifilítica, a moléstia progrediu lentamente até a apatia e a agonia. Nietzsche faleceu em Weimar, a 25 de agosto de 1900, vitimado por uma pneumonia.

Direção geral
Antônio Araújo

Direção editorial
Daniele Cajueiro

Editora responsável
Ana Carla Sousa

Produção editorial
Adriana Torres
Zaira Mahmud

Revisão
Jaciara Lima

Projeto gráfico e diagramação
Futura

Capa
Maquinaria Studio

Imagem da capa
Ullstein Bild - GettyImages

Este livro foi impresso em 2019, para a Nova Fronteira.

N

E

Z

H